Casseta & Planeta ©

A Taça do Mundo é Nossa!

OBJETIVA

TODOS OS DIREITOS DESTA EDIÇÃO RESERVADOS À
EDITORA OBJETIVA LTDA., RUA COSME VELHO, 103
RIO DE JANEIRO - RJ - CEP 22241-090
TEL.: (21) 2556-7824 - FAX: (21) 2556-3322
WWW.OBJETIVA.COM.BR

TEXTOS - CASSETA & PLANETA

COORDENAÇÃO - HELIO DE LA PEÑA

ROTEIRO - BETO SILVA, BUSSUNDA, CLAUDIO MANOEL, HELIO DE LA PEÑA, HUBERT, MARCELO MADUREIRA, REINALDO

CO-ROTEIRISTA - CÉSAR CARDOSO

DIREÇÃO DE ARTE E DESIGN GRÁFICO - GUALTER PUPO FILHO E BILLY BACON

ILUSTRAÇÃO DA CAPA - BENÍCIO

FOTOS - VANTOEN PEREIRA JR., FERNANDA LUZ, HELIO DE LA PEÑA

DEPOIMENTOS COLHIDOS POR - RICKY GOODWIN

REVISÃO - DAMIÃO NASCIMENTO, UMBERTO FIGUEIREDO E TAÍS MONTEIRO

EDITORAÇÃO ELETRÔNICA - MARCIA RAED

PRODUÇÃO GRÁFICA - JOSÉ JARDIM

C344t
Casseta & Planeta
A taça do mundo é nossa / Casseta & Planeta. – Rio de Janeiro : Objetiva, 2003.

191 p., fotografias ISBN 85-7302-574-3

1. Literatura brasileira – Humor. 2. Futebol – Brasil – Humor. I. Casseta & Planeta (Grupo humorístico). II. Título.
CDD B869.7

INTRODUÇÃO

Fazer um roteiro a 14 mãos (1), procurar as locações, contratar uma equipe de centenas de técnicos, selecionar dezenas de figurantes gostosas, arregimentar bailarinos com cara de militar, filmar, editar, sonorizar, pós-sonorizar e exibir um filme, tudo isso é fácil. Difícil é fazer uma introdução para o livro de roteiro deste filme.

A Taça do Mundo é Nossa é um marco. Pela primeira vez na história do cinema nacional um filme inteiro foi rodado e os galãs não comeram ninguém.

Este livro pode ser lido de várias maneiras. Em pé, deitado ou sentado. Para quem viu o filme *A Taça do Mundo é Nossa*, e gostou, é uma oportunidade para conhecer os bastidores, saber como nasceu cada cena. Para quem não viu o filme, uma chance de tomar um primeiro contato com essa obra-prima do grupo. E para quem viu e não gostou, vai pra pqp, seu fdp, v! (2)

O roteiro levou cinco anos para ficar pronto. E depois de finalizado, continuou sofrendo alterações nos ensaios, nas filmagens e na edição. A versão final você vai ler agora. E não é só isso. Você vai ficar sabendo também de tudo o que aconteceu por trás (epa!) das câmeras (ufa!), através de depoimentos dos autores-atores, do diretor e da estonteante Maria Paula. Cada cena é dissecada como se estivesse numa autópsia, revelando detalhes de como foi bolada e realizada, assim como os improvisos que foram ensaiados à exaustão, tudo ilustrado por fotos exclusivas comentadas pelos próprios cassetas.

Este livro é leitura obrigatória. Vai cair na prova. Quem não ler, vai perder ponto e ainda vai tomar uma suspensão.

A Taça do Mundo é Nossa – veja o filme, alugue o DVD, ouça a trilha sonora, visite o *site*, leia o livro. E, principalmente, compre a camiseta, que é a única dessas coisas cuja grana a gente não divide com um monte de sócios!

CASSETA & PLANETA

(1) Quatorze não, 13. Um de nós estava pensando na Maria Paula sem calcinha.

(2) Vai pra puta que o pariu, seu filho-da-puta, viado!

LULA BUARQUE, Diretor – Eu comparo este filme com as chanchadas da Atlântida – com Oscarito e Grande Otelo – por ser um humor brasileiro bem produzido, bem fotografado, bem acabado e de grande comunhão com o público. A comédia brasileira recente é mais direcionada para o público infantil.

BRASIL, 1970.

CERTIFICADO DE CENSURA

DIVISÃO DE CENSURA DE DIVERSÕES PÚBLICAS

Nº DO CERTIFICADO 266 MEIA MOLE MEIA DURA

TÍTULO DO FILME A TAÇA DO MUNDO É NOSSA

JUSTIFICATIVA DE CENSURA CENAS DE IMPOTÊNCIA EXPLÍCITA

APROVADO PELO F.D.P.
CLASSIFICAÇÃO

PROIBIDO PARA MENORES DE DEZOITO CENTÍMETROS

18

VÁLIDO ATÉ 01 de MARÇO de 1974

Brasília, 01 de ABRIL de 1970

H.ROMEU PINTO

Diretor do D.F.D.P.

Uma ditadura militar estava no poder. Os militares só pensavam em poder.
Poder com os estudantes, poder com os trabalhadores, poder com a imprensa.
Naquele tempo, era poda.
Em 1970, o Brasil também se sagrou tricampeão mundial de futebol na Copa do México. Tricampeonato é uma espécie de penta daquela época.
Esse filme tem a ver com essas paradas todas aí...

CENA 1

EXT. FEIRA AGROPECUÁRIA / IMAGEM DE ARQUIVO - DIA

NOTICIÁRIO DA DÉCADA DE 60/70, TIPO ATUALIDADES ATLÂNTIDA.

Em imagens em preto-e-branco, como se fossem imagens de 1970. Uma feira agropecuária, onde belos exemplares bovinos desfilam em frente a um palanque com autoridades militares, civis e eclesiásticas.

CENA 2

EXT. FEIRA AGROPECUÁRIA - DIA

Estão presentes, no palanque, o GENERAL MANSO e o GENERAL MIRANDINHA, acompanhado de sua esposa, DOLORES, e da filha LUCY ELLEN. (Colocar figurantes com biotipos que convençam como autoridades da ditadura militar, entre eles um sósia do MÉDICI.)

LOCUÇÃO (OFF)
Com a presença de autoridades militares, civis e eclesiásticas, realizou-se em Passo Fundo, Rio Grande do Sul, a XIV Exposição de Gado Agropecuário do Estado.

Imagem de fila de bovinos belíssimos sendo premiados na feira.

LOCUÇÃO (CONT'D)
A cerimônia de premiação confirmou a excelência do rebanho brasileiro, um dos mais bovinos do mundo!

Uma explosão destrói uma das vacas concorrentes, pedaços de carne voam e caem em cima das autoridades; corre-corre, uma tropa do Exército isola o local e começa a periciar o atentado, a polícia protege as autoridades, mas trata com hostilidade o público presente, baixa o sarrafo. Por ali, de curioso, num canto qualquer, vemos DENÍLSON, um típico bicho-grilo dos anos 70, saindo do local sorrateiramente, dando a entender que é o autor do atentado.

LOCUÇÃO (CONT'D)
No entanto, um pequeno e lamentável incidente acabou vitimando a vaca Mimosa, ex-ama-de-leite de Sua Excelência, o presidente da República, o que não chegou a ofuscar o brilho do evento.

CENA 3
EXT. MARACANÃ / GRAMADO - DIA

Takes do Maracanã vazio. Apenas uns poucos militares e um bispo na tribuna de honra. Começa uma paródia das filmagens de futebol do Canal 100, imagens com teleobjetiva, em câmera lenta, mostrando o suor e a raça dos jogadores. Ao fundo, musiquinha tipo Canal 100, "Apito no samba": *que bonito é...* Vemos em campo dois times: um deles é composto de presos políticos, andrajosos e cheios de hematomas. O outro time é formado de milicos, com uniforme de quartel, que enchem os presos de porrada. Tudo é filmado como uma partida de futebol, mas a bola quase não aparece, só crueldades.

LOCUÇÃO

No Rio de Janeiro, foi realizada uma partida entre o time do Primeiro Regimento de Cavalaria Retropropulsada e uma seleção de perigosos terroristas subversivos. As duas equipes que vêm se enfrentando desde 1964 ofereceram ao torcedor uma partida cheia de emoções. A equipe verde-oliva dominou o jogo, demonstrando muito vigor e disciplina. O valioso arqueiro do time das forças armadas mostrou agilidade em suas defesas fulminantes.

Seqüência de crueldades. Vemos um preso político correndo, como se estivesse indo participar de um lançamento lá na frente. A câmera corrige e vemos que, na verdade, ele está correndo de cães pastores alemães rosnando, com seus dentes rangendo, seguidos de milicos. Corta para goleiro amarrado nas traves do gol, como se estivesse num pau-de-arara. Vemos um terrorista com a bola – ele passa pelo primeiro militar, dribla o segundo milico, dá um lençol num terceiro milico, está próximo do gol adversário, prepara-se para chutar e marcar o gol quando é metralhado por um grupo de milicos. Não há sangue na cena.

LOCUÇÃO (CONT'D)

... ao final da peleja, o placar registrou 25 a 0 para os representantes das forças armadas, que, mais uma vez, impuseram uma acachapante derrota à desentrosada equipe dos perigosos comunistas subversivos.

CENA 4
EXT. PASSEATA ESTUDANTES / IMAGEM DE ARQUIVO - DIA

Corta para imagens de arquivo da passeata dos 100 mil e de outras manifestações populares contra a ditadura. Vemos um grupo de estudantes apanhando das forças da repressão que baixam o cacete na rapaziada.

LOCUÇÃO
(*OFF* tipo chapa branca)

Sem a presença de autoridades civis, militares e eclesiásticas, foi realizada no Rio de Janeiro uma manifestação de baderneiros que querem, a qualquer custo, impingir suas ideologias exóticas estranhas à nossa sociedade...

CENA 5

EXT. MURO – DIA

Corta para *takes* do nosso comunistaço WLADIMIR, no mesmo filme, acabando de pichar um muro com a frase: "Mais verbas para a inducassão!"

LOCUÇÃO
Felizmente, nossas forças policiais chegaram a tempo de garantir a índole pacífica do povo brasileiro.

Mais *takes* da galera apanhando e do Wladimir fugindo da repressão.

CENA 6

EXT. CHURRASCARIA – DIA

LETREIRO: ALGUNS DIAS ANTES. 21 DE JUNHO DE 1970
FINAL DA COPA DO MUNDO

Vemos que o comunista Wladimir está acabando de pichar uma parede de rua, com a inscrição: "ABAICHO A DITADURA!" Ouve-se barulho de sirenes. Wladimir assusta-se, olha e vê que são batedores de motocicleta, escoltando o Aero Willys do general Mirandinha.

Antes de entrar na churrascaria, ele dá uma espiada e vê o general Mirandinha saindo do seu carro, acompanhado de Dolores e de LUCY ELLEN. Lucy Ellen usa uma microssaia e um *top* de amarrar. O nome da churrascaria é CHULETÃO GAÚCHO.

DOLORES
Sai, sai, sai! Anda, seu molóide! Anda! Ainda bem que a gente veio com os batedores! O jogo já deve ter começado, sua lesma!

MIRANDINHA
Ah, Dodozinha, você sabe que eu não sou ligado nesse negócio de futebol. Só de ver aquele pessoal correndo atrás da bola já me dá um cansaço!

LUCY

Ai, ai. A essa hora o Jairzinho já deve estar em campo com aquele shortinho apertadinho. Vamos, eu adoro jogadores de futebol.

CENA 7

INT. CHURRASCARIA / SALÃO – DIA

Salão da churrascaria, onde existe a grelha, com churrasqueiros, os garçons e fregueses, que assistem à final. Ninguém repara na entrada de Wladimir, pois todos estão com os olhos voltados para uma televisão que transmite o início da final da Copa de 70.

LOCUÇÃO

É a grande final da Copa do Mundo de 1970! É o Brasil rumo ao tricampeonato! Final de copa do mundo no México. 1970. Brasil e Itália dão a saída no jogo decisivo do mundial. No Brasil: Félix, Carlos Alberto, Brito, Piazza e Everaldo. Clodualdo e Gerson. Jairzinho, Pelé, Tostão e Rivelino. Aí, o primeiro chute passado pelo goleiro...

Vemos que todos os garçons e cozinheiros estão hipnotizados pela tela da tevê. Um dos churrasqueiros está cortando a lingüiça. Distraído por uma jogada perigosa, ele perde o controle do facão e corta o próprio dedo, que cai numa bandeja. Um GARÇOM passa, pega a bandeja com o dedo e pedaços de lingüiça e vai para o salão. Deixa a bandeja na mesa onde já estão sentados o GENERAL Mirandinha, DOLORES e LUCY ELLEN.

DOLORES

Que isso?! Só tem lingüiça? Que espécie de churrascaria é essa? Cadê as carnes? Cadê a farofa? Cadê as batatas fritas? Esta é a mesa do General Miranda Imbyrussu do Exército brasileiro! O senhor trata de servir direito!

Ao fundo, vemos o GARÇOM sem dedo pulando segurando a mão. Da mão sem dedo, esguicha sangue, como se fosse uma mangueira. Nesse instante chega o CHURRASQUEIRO-CHEFE. Todos começam imediatamente a trabalhar. O churrasqueiro-chefe está vestido de gaúcho típico. Ele é *gay*, mas tem um jeito rústico, brusco e gaúcho. Ele esbarra em Wladimir.

CHURRASQUEIRO-CHEFE

Barbaridade, tchê! Tu deve ser o novo garçom. Hum.. mas é cada um que me aparece... Bom, depois a gente dá um jeito nessa aparência horrível. Agora pegue este avental que hoje, com esse jogo, isso aqui está impossível! Eu não agüento mais, é tudo em cima de mim! É tudo nas minhas costas, tchê!

WLADIMIR
(Tentando se explicar)

Mas companheiro churrasqueiro...

CHURRASQUEIRO-CHEFE
Companheiro não! Eu não sou seu companheiro. O meu companheiro ficou em Bagé!

(Olha guloso para Wladimir, mas sempre tentando segurar a onda da boiolice)

Hummmm... quer dizer que tu também tens companheiro? Logo vi que tu gostavas de um espeto...

(Entrega um avental, um espeto de lingüiças e um facão)

Mas, veste logo este avental e vai servir a mesa do general que a mulher dele está quase botando as tropas na rua!!! Toma! Vai!

WLADIMIR
(Percebendo a oportunidade)

A mesa do general?

(Olha para a faca)

Deixa comigo, companheiro...

Wladimir pega as coisas e se prepara para sair.

CENA 8

INT. CHURRASCARIA / BANHEIRO – DIA

Banheiro de serviço da churrascaria, que Peixoto Carlos usa e trata como se fosse um camarim de um *popstar*. Um garçom aparece para dar uma mijada, enquanto o astro se prepara. Em seguida entra o GARÇOM DEDO que perdeu o dedo, com um guardanapo em volta da mão. PEIXOTO nem repara.

Peixoto Carlos anda de um lado para o outro. Sua roupa é meio Las Vegas, meio jovem guarda, ele está bem nervoso. Pega um pepino numa caixa que está jogada no depósito e coloca como enchimento na calça. Olha para fora do camarim e percebe o salão lotado da churrascaria. Examina o público, vemos mais uma vez a família do general Mirandinha em sua mesa. O garçom Dedo vai saindo do banheiro.

PEIXOTO
(Falando para o espelho)

Jóia! Chuchu beleza! *YES*! Uau! Casa cheia, mora? Peixoto Carlos, seu gostosão! Seus dias de anonimato chegaram ao fim! Aliás, vou acabar com esse meu anonimato agora mesmo!

Pega um pedaço de papel e rabisca. Puxa pela manga o garçom Dedo, que está passando com um guardanapo ensangüentado na mão, e entrega o papel.

PEIXOTO (CONT'D)
Para o meu amigo garçom, um beijo do seu Peixoto Carlos. Taí meu autógrafo, bicho. Valeu pela força!

Peixoto aperta a mão do garçom, que uiva de dor. O dedo dele volta a esguichar sangue.

GARÇOM DEDO
Uuuuuhhhh! Issaaa!!! Aaaargh!

PEIXOTO
UAU! Já tô enlouquecendo os fãs!

CENA 9

INT. CHURRASCARIA / PALCO – DIA

Peixoto sobe no seu palquinho (com sua guitarra meio chinfrim) tipo praticável, desses próprios pra cantor de churrascaria, ele chega numa atitude de astro agradecendo. Neste momento acontece o primeiro gol do Brasil contra a Itália. O público comemora.

PEIXOTO
Obrigado! Obrigado! Eu sei que eu sou o máximo. Agora queria que vocês calassem a boca e fizessem um pouco de silêncio porque eu vou cantar uma música de minha autoria e que também fui eu que fiz!

A música é no estilo iê-iê-iê, meio malfeito. Colocar uma introdução de guitarra e orgãozinho bem cafona e chinfrim.

PEIXOTO (CONT'D)
(Começa a cantar uma música)

Se você quer me dar, mas acha que eu tenho o bilau pequeno! Se enganou, meu bem! Você pegou foi no meu duodeno!

O público ainda comemora o gol, só o garçom Dedo grita para Peixoto Carlos.

GARÇOM DEDO

Cala a boca, babaca! Pára com essa cantoria que eu quero ver o jogo, tchê!

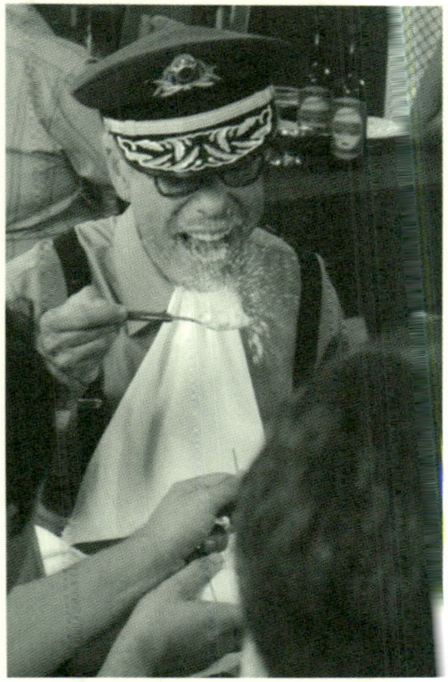

CENA 10

INT. CHURRASCARIA / DUTO – DIA

Vemos a churrascaria. Lá embaixo vê-se o salão cheio.

É o ponto de vista de Denílson, que abre um duto de ar refrigerado. Seqüência de tensão:

Denílson carrega uma pequena bomba caseira. Ele coloca a bomba no enorme boi sorridente que enfeita o teto da churrascaria. Vemos que ela está ligada a outras duas bombas presas no boi. Música de suspense. Denílson, nervoso, está cheio de gotas de suor que escorrem pelo seu nariz. Quando Denílson finalmente consegue colocar a bomba, a gota cai de seu nariz lá embaixo. Denílson vê a gota cair em *slow motion*. Tensão máxima. Denílson percebe que a gota vai cair em cima do general e fica cada vez mais nervoso.

CENA 11

INT. CHURRASCARIA / SALÃO – DIA

Mesa do general na churrascaria. O general também em *slow* se prepara para colocar o garfo cheio de carne e farofa na boca.

A gota cai na hora exata em que o general vai colocar o garfo na boca, bem em cima da comida. Dolores, Lucy e o general vêem a gota cair e, ato contínuo, olham para cima.

CENA 12

INT. CHURRASCARIA / DUTO – DIA

Denílson fecha o duto e desaparece.

CENA 13

INT. CHURRASCARIA / SALÃO – DIA

Todos olham para cima, procurando a origem da goteira, mas só vêem pendurado um enorme boi sorridente. O churrasqueiro-chefe *gay*, que está servindo a mesa do lado, é puxado pela mandona Dolores.

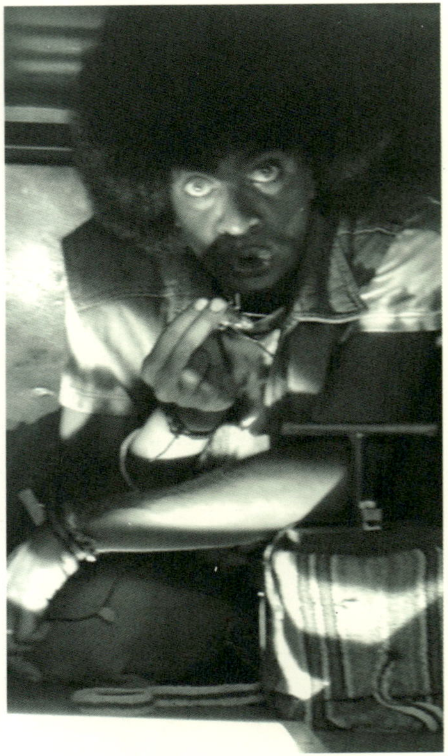

DOLORES
(Arrogante)

Meu filho, venha cá! Essa vaca está pingando em cima do meu marido...

(Aumenta o volume da voz)
O general Miranda Imbyrussu...

(Mirandinha morre de vergonha)
... do Exército brasileiro!

LUCY
Ih, mãe, não é vaca não! Não tá vendo? É touro!

Vemos agora que a vaca inflável, na verdade, é um boi que tem um enorme membro e testículos grandes e pesados.

Dolores, impressionada com o tamanho da genitália, tapa os olhos de Lucy que está achando a maior graça e tira a mão da mãe da frente dos seus olhos.

LUCY (CONT'D)
Ih, mãe, deixa de ser quadrada! Aí, eu já vi coisa bem maior...

Imagem do jogo na televisão.
Todos os fregueses têm sua atenção voltada para o jogo.

CENA 14

INT. DUTO - DIA

Denílson, dentro do duto, está aliviado. Coloca o detonador encostado; vê uma barata bem cascuda, indicando a insalubridade do duto.

DENÍLSON
Putzgrila! Preciso de alguma coisa pra relaxar...

(Ele olha a barata e pega-a com destreza)
Aí, baratinha, vou te fumar todinha...

(Rapidamente ele enrola a barata num papel e faz um baseado com ela. Ele acende a barata, dá uma carburadona e fica besteirão)

CENA 15

INT. CHURRASCARIA / SALÃO - DIA

Wladimir se aproxima da mesa do general com o espeto e o facão. Ele olha seu facão, o general e olha para o bundão de Lucy Ellen que havia se abaixado para pegar seu guardanapo. Ele fica boquiaberto com a maravilha que vê.

MIRANDINHA
(Bonachão)

Minha filha, senta direito... Desse jeito, alguém vai acabar vendo sua calcinha!

LUCY
Ih, pai. Se alguém quiser ver minha calcinha, vai ter que procurar na minha gaveta, lá em casa... Não tô mais nessa de usar calcinha não...

Lucy vai se sentando enquanto fala. Wladimir começa a lhe servir lingüiça, de tal maneira desajeitado que deixa escapulir. Uma lingüiça voa até cair dentro do decote da blusa de Lucy Ellen.

Tentando consertar o estrago, Wladimir enfia a mão dentro da blusa da moça para tirar a lingüiça.

LUCY (CONT'D)
(Se divertindo com o atrapalhamento de Wladimir e gostando da procura da lingüiça em seus seios)

Uuuui! Ui! Aaaai... procura mais pra cá... Ai, ai, ai no outro! Agora, vai.. no outro...

O general fica sem graça, mas é Dolores quem puxa uma arma...

DOLORES
Seu tarado! Tira a mão daí!

Wladimir levanta as mãos, só que a mão que estava buscando a lingüiça traz não só a carne, como carrega consigo o *top* de Lucy.

Ela tapa os seios, mas não esconde que está achando aquilo tudo muito divertido. O general, constrangido, olha para Dolores.

MIRANDINHA
(Bonzinho)

Tá vendo, menina? É por essas coisas que eu digo que você tem que usar sutiã...

DOLORES
(Perdendo as estribeiras)

Mirandinha, seu banana! Você não vai fazer nada??? Não foi para isso que nós fizemos a Revolução!

Neste momento, um grito desvia sua atenção: é outro gol do Brasil. O povo pula em grande euforia.

CENA 16

INT. DUTO - DIA

Denílson no duto. Ele está chapadão. Fumando a bagana da barata.

DENÍLSON
(Fala com a bagana)

Aí, baratinha, tu é da braba, hein!... Tu deve ser lá do Ceará!

(Fica olhando em volta, viajandão)
Ué?! Quê que eu vim fazer aqui mesmo, hein? Sei lá, pô.

Denílson dá uma tragada e cai pra trás, acionando o detonador.

DENÍLSON (CONT'D)
Ih... bateu, aí.

Ouvem-se três estrondos seguidos, das bombas detonadas.

CENA 17

INT. CHURRASCARIA / SALÃO - DIA

Nesse instante, o imenso boi cínico e sorridente que está pendurado no teto explode. Na confusão da explosão, DOLORES se levanta, apoiando-se na beirada da bandeja onde estava o dedo do garçom com as lingüiças. As lingüiças e o dedo voam e caem em cima do GARÇOM, que reencontra o seu dedo.

Denílson pula para o salão. Confusão na churrascaria. Surge, do meio da fumaça, Denílson. Ele sobe numa plataforma pra servir de palanque e depois nota que a tal plataforma era o braseiro da churrasqueira. Ele discursa inflamado.

DENÍLSON
Genocidas carnívoros!! Comedores de vacas e porcos inocentes! Seus dias estão contados! Morou?

(Ele percebe que está em cima da grelha, do braseiro, vê seus sapatos incandescendo e dá pulinhos, apressando o fim do discurso)

Viva a revolução vegetariana!

Assustadas, as pessoas correm, derrubando mesas.

Dolores puxa a sua arma de dentro do sutiã e procura Mirandinha, até encontrá-lo escondido debaixo da mesa.

DOLORES
Mirandinha, seu molóide! Saia já daí e prenda aquele comunista maluco! Vai na frente que eu vou atrás te dando cobertura!

Dolores empurra Mirandinha e começa a atirar em Denílson, aumentando a confusão e o pânico. Mirandinha cai em cima de um garçom que carrega uma bandeja.

Denílson, que tenta escapar dos tiros de Dolores, sai correndo e, no processo, esbarra também em vários garçons. Voam coração, churrasco e lingüiça para todo lado.

Peixoto, apatetado, acompanha a confusão sem entender nada.

Wladimir, aproveitando-se de um segundo de distração do general, lhe acerta uma garrafa de cerveja na cabeça. O general começa a cambalear. Agora a churrascaria fica em silêncio, olhando o general cambalear em *slow* até cair. Wladimir sai correndo.

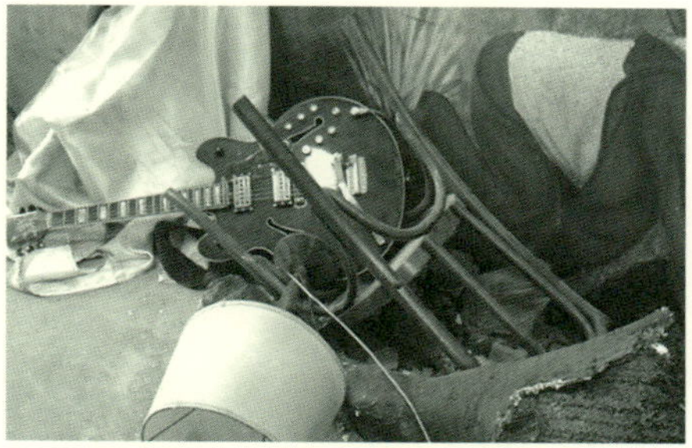

DOLORES (CONT'D)
Meu Deus! Mataram meu marido! O general Miranda Imbyrussu do Exército brasileiro! Foi aquele *hippie* maluco ali que não gosta de filé!!!
(Aponta para Denílson, que está fugindo)

CHURRASQUEIRO-CHEFE
Não, eu vi! Foi o bofe barbudo!

(Aponta para Wladimir, que está fugindo)
Pega ele! Pega ele e leva ela lá para casa, tchê!

GARÇOM DEDO
Não foi ele, não!! Foi o cantor!
(Aponta pro Peixoto, que tá ali paradão)

PEIXOTO
Mas eu não fiz nada!

GARÇOM DEDO
Não fez nada, mas canta mal pra cacete!

Wladimir e Denílson, ao fugir, passam bem perto de Peixoto. Wladimir vê que todos estão na mesma roubada e os convoca.

WLADIMIR
Companheiro vegetariano, companheiro cantor, agora nós estamos juntos nessa. Vem, vamos embora!

PEIXOTO
(Continua a frase do outro)

... que estudar não é saber, quem sabe mata aula, não espera anoitecer... Fui eu que fiz essa música, bicho!

DENÍLSON
Vamos simbora! Simbora que o bicho vai pegar!

A churrascaria é invadida por soldados. Antes de sair, Wladimir se volta para dentro da churrascaria, exibindo o *top* de Lucy na mão.

WLADIMIR
(Gritando para o povo)

Esta miniblusa da ditadura foi expropriada e será utilizada na luta da revolução proletária do proletariado operário!!!

Lucy o olha lisonjeada.

CENA 18
EXT. CHURRASCARIA - DIA

Wladimir, Peixoto e Denílson saem correndo da churrascaria.

DENÍLSON
E agora, bicho? Onde é que a gente vai se esconder?

WLADIMIR
Tá na cara que nenhum de vocês tem um aparelho, né?

PEIXOTO
Eu tenho, bicho! Olha só!
(Tira um aparelho odontológico do bolso)

WLADIMIR
Não, peraí, companheiro! Não é esse tipo de aparelho. Deixa pra lá! Vamos nessa!

Saem correndo.

feira agropecuária

cena 1

Após a explosão da vaca, o Exército teve que conter o avanço da multidão sobre as carnes que seriam doadas à população carente.

Durante as filmagens, o humorista Reinaldo aproveitou para queimar mais uma vez o seu filme.

Como sempre acontece no cinema brasileiro, essas belas vacas foram comidas após as filmagens num animado churrasco realizado num motel das redondezas.

canal 100

cena 2

milicos X presos políticos

– POR QUE UM FILME SOBRE ASSUNTOS QUE NÃO SÃO CONSIDERADOS ENGRAÇADOS, COMO DITADURA E TORTURA?

HELIO – É a primeira vez que se brinca com essa época. O filme faz humor com os militares e com o ícone da esquerda, Che Guevara, sem levar nada a sério.

HUBERT – A gente queria fazer um filme de época. Poderia ser sobre Egito Antigo, Revolução Francesa, mas essa é uma época da qual temos uma boa vivência.

BUSSUNDA – Exatamente por ser o primeiro trabalho, achamos mais legal falar de coisas que a gente tenha vivido. Foi na década de 1970 que nos conhecemos, fazendo o *Casseta Popular* e o *Planeta Diário*. Era a época das drogas, do *rock & roll*, dos comunistas, dos militares, um universo riquíssimo.

BETO – Além do desafio de fazer graça com uma época que até hoje é tabu.

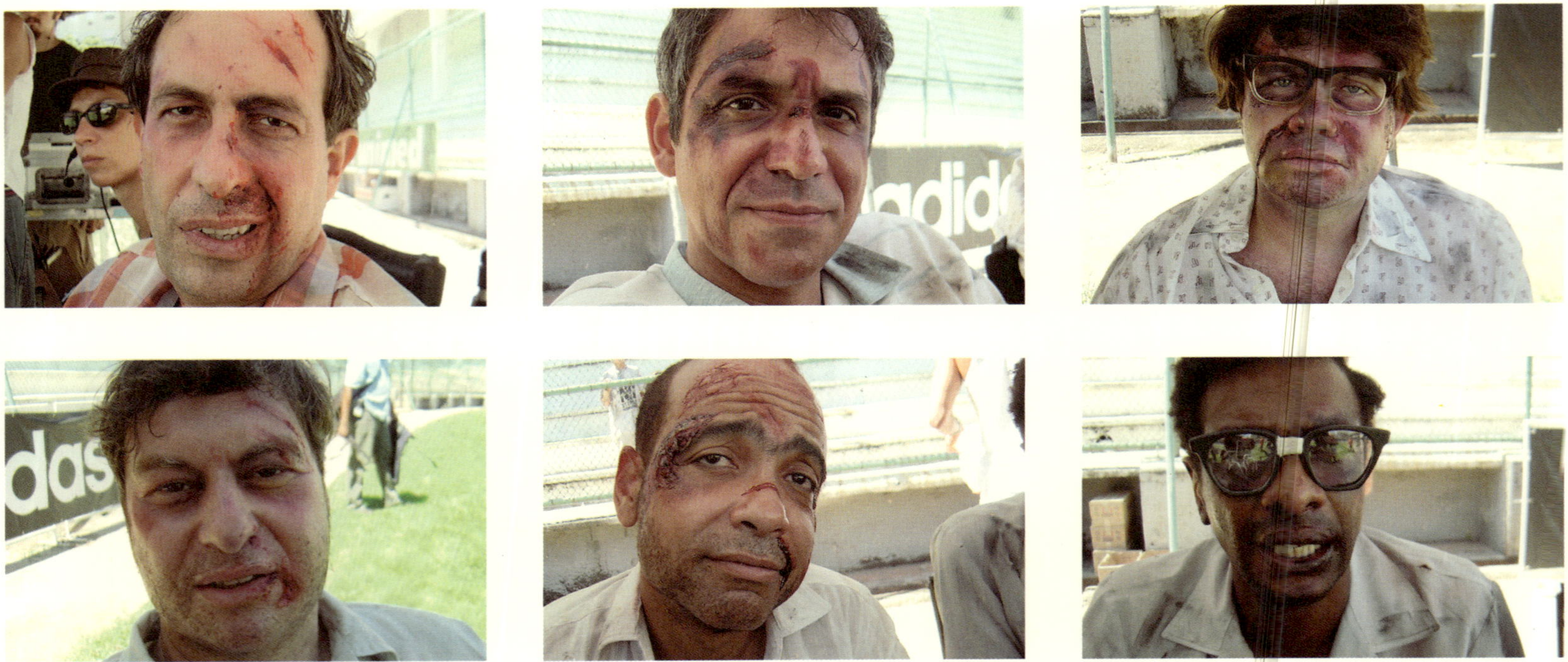

Para que a maquiagem ficasse bem realista, os presos foram obrigados a torcer pelo Corinthians no meio da galera do Palmeiras.

REINALDO – Fui colocado num pau-de-arara, numa trave, durante uma partida entre Torturadores x Torturados!

CLAUDIO – Reinaldo foi escolhido por ser o único entre nós com idade pra ter sido torturado. Ele foi da resistência contra a ditadura, trabalhou no *Pasquim*!, fomos ativistas do movimento estudantil, corremos da polícia... mas era 77-79, não tinha riscos, era uma coisa mais pra comer gente.

REINALDO – Com tanto equipamento, tanta parafernália, os Cassetas não poderiam deixar de sacanear o Reinaldo. Inventaram essa cena comigo num pau-de-arara.
A tentativa não deu certo, mas serviu para eles terem o prazer de me pendurar lá por alguns minutos.

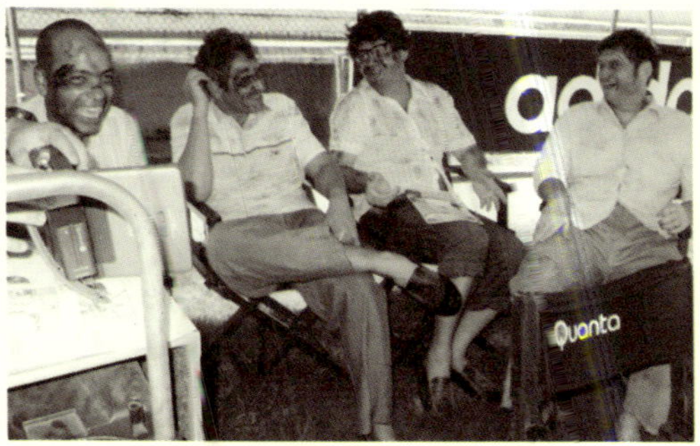

A gente apanhamos, mas nóis se adiverte!

REINALDO – Levamos de quatro a cinco anos pra chegar num roteiro final.

CLAUDIO – Foi muito tempo para termos uma história que agradasse a todos para depois desenvolver o roteiro. Várias idéias foram ficando pelo caminho.

– NO PROGRAMA DE TV, QUEM FAZ A REDAÇÃO FINAL SÃO CLAUDIO E REINALDO. NO FILME, FUNCIONOU DA MESMA MANEIRA?

CLAUDIO – O processo do filme foi mais orgânico e não hierárquico. Dividimos o roteiro em três grupos – um fazia o início, outro, o meio, e outro, o fim. Quando tinha alguma coisa desenvolvida, trocávamos os grupos, e tudo era reescrito. Fizemos isso várias vezes, de modo que todos escreveram cada parte do filme. É um roteiro consensual.

LULA – São linguagens diferentes. O programa deles na tevê é baseado em atualidades, é um termômetro do Brasil, o próprio ritmo é rápido. O cinema pode ter uma mesma cena que seria feita pra televisão, só que no cinema, quando essa cena chega para ser filmada, foi reescrita, refinada, transformada em parceria com o diretor de arte, o figurinista, o iluminador, porque o cinema te dá esse tempo.

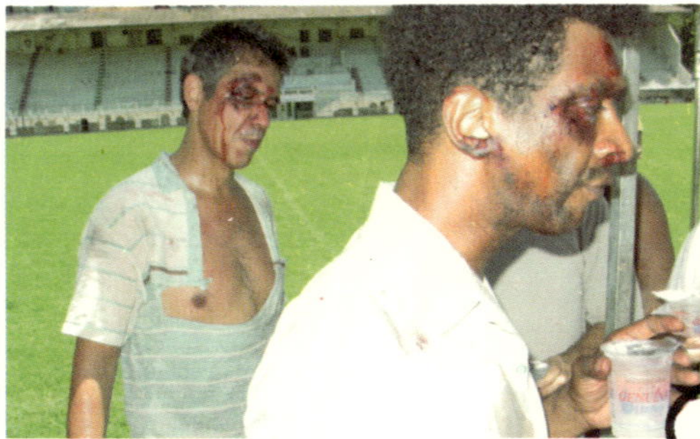

passeata de estudante

cenas 3 e 4

churrascaria

cena 5

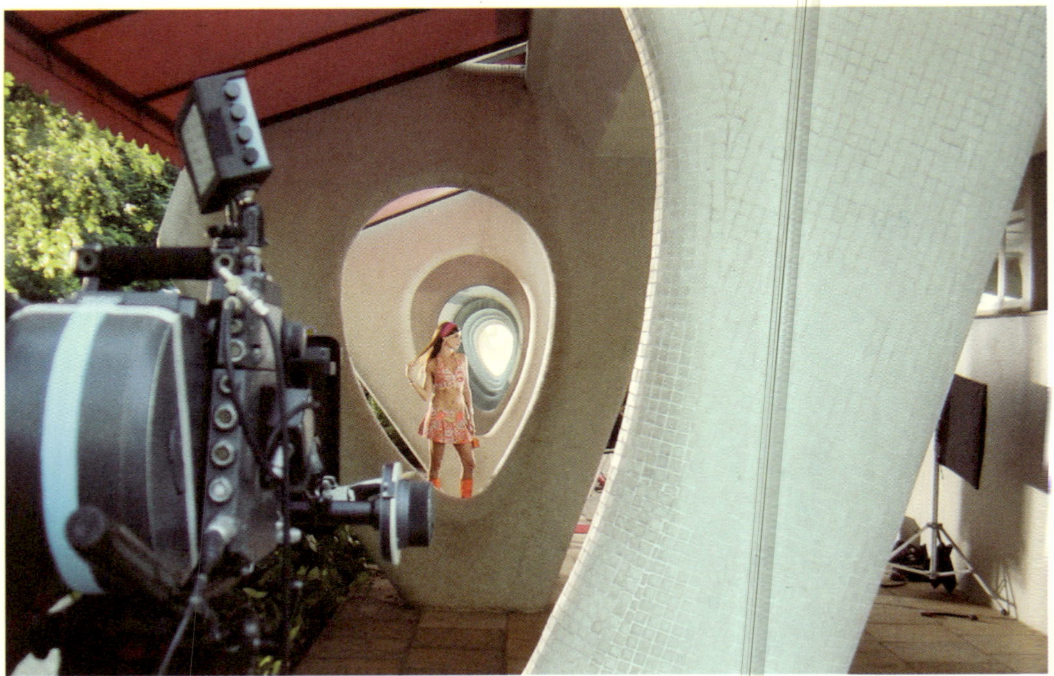

A Fiocruz serviu de locação para cenas externas da churrascaria. Depois de uma série de exames laboratoriais, os sanitaristas concluíram que o filme de Casseta e Planeta não é uma merda.

lucy ellen

MARIA PAULA – Lucy Ellen é uma moça muito dada. Jovem e divertida, não tem nada a ver com o grupo terrorista – nem sabe o que são ideais revolucionários. Mas vai na onda e acaba achando o máximo porque eles roubaram a taça. É filha de general, criada no esquema militar, e morre de medo da mãe. Também, a mãe dela é o Marcelo Madureira!

Mas difícil mesmo era agüentar os sete manés fazendo piadinha comigo o tempo todo. Eram horas e horas de espera e de piadinhas... Não tinha como escapar, foram seis semanas juntos todos os dias, das seis da manhã às dez da noite! Na primeira semana: "Oh, que lindo como adoro vocês!" Na segunda semana: "Ai, meu Deus..."

churrascaria

cenas 6 a 18

Mesmo trabalhando de garçom, Wladimir não estava acostumado a ver um belo lombo como o de Lucy Ellen.

Peixoto Carlos se prepara para o show mais importante da sua carreira. Ele vai tocar seus fracassos na churrascaria durante a final da Copa de 70.

wladimir

BUSSUNDA – Wladimir é um comunista ignorante, com todo o jargão de esquerda mas sem saber português. Escreve tudo errado e repete redundâncias como um Lazaroni: "As forças da repressão repressivas e opressoras..." Seu codinome completo é Wladimir Illich Stalin Tsé-tung Guevara da Silva, mas na verdade se chama Frederico Eugênio e mora com a mãe, que faz uns casaquinhos pra ele. É um mauricinho. Com certeza, ele é uma homenagem a várias pessoas, inclusive a meu pai que era míope.

HUBERT – O grupo terrorista que rouba a taça representa os três lados da juventude da época. O personagem do Bussunda, Wladimir, é comunista, rígido, militante.

peixoto carlos

HUBERT – Peixoto Carlos é o personagem mais burro do filme. É megalomaníaco, egocêntrico, mas tem também alguns defeitos. Toda música de sucesso, ele diz que foi ele quem fez, mas roubaram. Vive no mundo da lua. Tentei fazê-lo o mais idiota possível.

– COMO VOCÊ FEZ PRA FICAR VESGO O TEMPO TODO? ATÉ SEU TERCEIRO OLHO ESTÁ VESGO!

HUBERT – Não podia ventar, senão eu ficava vesgo pra sempre. Eu vivia rodeado de abafadores pra impedir correntes de ar.

denílson

HELIO – Denílson é um *hippie* alienado, e o Peixoto Carlos é mais ligado em música e na própria carreira. Acaba que a gente vira massa de manobra do Wladimir, personagem do Bussunda. São dois porra-loucas sendo conduzidos por outro que pensa que não é porra-louca, mas também é. É um vegetariano radical que usa o vegetarianismo como desculpa pra fumar tudo que encontra pela frente. Por mais que ele tenha o discurso de natureba, você não vê uma folha de alface no filme. Mesmo porque, se tivesse, o Denílson fumaria.

– É VERDADE QUE, NO FILME INTEIRO, O SEU PERSONAGEM SÓ PEGA UMA BARATA?

HELIO – Mas eu não comi a barata, só fumei. Eles queriam fazer a cena com uma barata real! Você já pegou uma barata real? Já botou na boca? Me deu um asco, tive que fazer com barata cenográfica.

Enquanto não explode o touro,
Denílson fuma uma barata para relaxar.

O general Mirandinha quase engasga com a farofa temperada pelo suor do terrorista Denílson.

HELIO – Denílson e Peixoto Carlos ficam mais à vontade pra fazer o lado Trapalhões do filme porque não têm o compromisso de conduzir a trama. A gente não é líder de grupo, a mocinha não é a fim da gente, a gente só tá ali por acaso.

HUBERT – Nosso grupo terrorista tá mais pra Três Patetas que pra Costa-Gavras.

Um dos momentos mais "Trapalhões" de A Taça do Mundo é Nossa!

CENA 19

INT. CASA DE WLADIMIR / SALA - DIA

Os três chegam na casa de Wladimir, um apartamento pequeno, que tem dois lados bem distintos e divididos. De um lado (o lado do Wladimir), vemos um grande pôster de Che Guevara (uma espécie de santuário com lampadazinhas), outros ícones do comunismo também estão representados, mas o grande destaque é o Che, que é o ídolo de Wladimir.

PEIXOTO
Uau! Jóia! Que pôster bacana, bicho... também sou superfã do Raul Seixas...

DENÍLSON
Podes crer, aí!

WLADIMIR
Que Raul Seixas, companheiro? Esse é o grande Che! Ernesto Che Guevara, morto nas selvas da Bolívia pelas tropas reacionárias do imperialismo ianque americano e meu ídolo e guia supremo!

DENÍLSON
Pô... o cara foi coisa à pampa, bicho...

WLADIMIR
Companheiros, tem uma coisa que eu não falei pra vocês... é que eu divido esse apartamento com a companheira minha mãe!

A CÂMERA ABRE PARA REVELAR
Do outro lado vemos uma série de imagens de Nossa Senhora, gravuras de Jesus, a Santa Ceia, objetos caretas, andorinhas etc.

Entra a mãe de Wladimir, DONA JULIETA, uma velha boazinha. Ela traz um casaquinho de tricô vermelho.

JULIETA
Frederico Eugênio, meu filho... você saiu de novo sem o seu casaquinho, assim você vai acabar pegando uma friagem.

WLADIMIR

Pô, mãe, já te falei que abdiquei desse nome pequeno-burguês e reacionário. O meu nome agora é Wladimir Illitch Stalin Tsé-tung Guevara e esses aqui são os meus novos camaradas!

JULIETA

Ah, você trouxe os seus amiguinhos pra lanchar. Então eu vou lá dentro preparar uma vitamina bem reforçada e um *big* sanduíche!

Julieta sai.

WLADIMIR

Companheiros, o nosso encontro na churrascaria vai entrar para a história. Eu sinto que o destino nos uniu. Nos uniu para unidos e juntos...

(Abre os braços e grita embevecido)

...derrubar a ditadura, companheiros! Só assim poderemos construir uma sociedade mais justa!

PEIXOTO

Aí, bicho, se a sociedade vai ser justa ou injusta, pra mim não interessa, mora?, bicho! Eu só quero uma coisa:

(IRADO)

Acabar com o Rei da Jovem Guarda!

Os outros dois se olham espantados.

DENÍLSON

Pô, bicho... o quê que tu tem contra o Rob...

(Tem a boca tapada por Peixoto)

PEIXOTO

(Tapando a boca de Denílson)

Não fala o nome desse sujeito, bicho, que eu não posso nem ouvir falar nesse cara!

(Magoado, começa a recordar)

Eu ainda me lembro como se fosse hoje. Eu peguei aquele ônibus em Cachoeiro de Itapemirim...

FUNDE PARA

CENA 20

INT. ÔNIBUS INTERESTADUAL / *FLASHBACK* – DIA

Imagem turva de *flashback*. Nosso ROBERTO, com uma roupa simples, senta ao lado de Peixoto Carlos, já com sua roupa de jovem guarda. Ao fundo vemos a porta do banheiro do ônibus.

PEIXOTO
Peixoto Carlos, prazer.

ROBERTO
Prazer, Roberto.

PEIXOTO
E aí, bicho? Vai para o Rio de Janeiro, bicho?

Vemos um PASSAGEIRO entrar no banheiro. Em seguida vem um paraíba, apertado, com as mãos na barriga, e tenta entrar. Ele fica no fundo da cena, enlouquecido, pulando e fazendo caretas, como quem não está se agüentando.

ROBERTO
É. Vou tentar a vida na cidade grande.

PEIXOTO
E você já arrumou emprego lá?

ROBERTO
Não, mas qualquer coisa que eu arrumar tá bom. E você?

PEIXOTO
Ah, eu tô indo pra ser um grande cantor de sucesso. Aliás, se eu estiver estourado nas paradas, me procura que eu te dou uma força, tá legal? Ehh... quer ouvir uma música minha?

ROBERTO
Canta aí, bicho...

Peixoto canta.

PEIXOTO
Meu pequeno cachaceiro
Vive só tomando gim
Ai que saudade das minhas pregas, belas pregas
De tanto beber
Perdi...

ROBERTO
Mais ou menos, né, bicho?... Gosto mais de música romântica.

PEIXOTO
Romântica eu também faço, bicho! Ouve só!

Há muito tempo tava pendurado
Mas agora tem que levantar
Chegou a hora, não tem mais história
Com você não posso mais brochar
Não vou brochar não

Roberto Carlos faz sinal de que está sentindo um cheiro ruim.

ROBERTO
Essa música é meio caída, bicho.

PEIXOTO
Ó! Mas tem outra, uma maneira. Ouve só:

Essa garota tem o saco firme, tem o saco firme.

ROBERTO
Aí, bicho. Garota não tem saco.

PEIXOTO
Ah, é? Pô, desgraçada me enganou, aí!

O ônibus pára e ROBERTO e PEIXOTO se despedem.

ROBERTO (CONT'D)
Aí, bicho, vou dizer uma coisa. As tuas músicas são meio quadradas, mas você é barra limpa. Eu acho que você devia tentar o comércio.

Peixoto fica desapontado.

ROBERTO (CONT'D)

Não liga não. O que interessa é que eu vou guardar você sempre aqui, ó, no meu coração. Você é amigo de fé.

PEIXOTO

Amigo de fé, irmão camarada.

(Roberto saca algo)

CENA 21

INT. CASA DE WLADIMIR / SALA – DIA

Volta do "sonho" de Peixoto para o apê de Wladimir.

PEIXOTO

Eu odeeeio esse cara, bicho!

DENÍLSON

Tu odeia o Rei, um cara gente boa, amigo das plantinhas, que conversa com elas, só porque ele não gostou das tuas músicas, bicho?

PEIXOTO

Tu é muito inocente, Denílson, tu num tem malícia... o cara finge que não gosta pra depois usar teu lance, sacou? Mas é assim mesmo, nesse nosso mundo do *showbis* é assim... É um querendo comer o outro...

DENÍLSON

Ah, saquei... Uma vez eu fui numa suruba que era assim! Era um querendo comer o outro. Muito doida, bicho.

Na TV P&B do apê do Wladimir vemos imagem do LOCUTOR durante o jornal nacional da época.

CID (NA TV)

E atenção! Um bando de terroristas acaba de promover um atentado numa churrascaria do Rio de Janeiro. Uma bomba explodiu ferindo o general Miranda Imbyrussu. A polícia já tem um retrato dos perigosos subversivos.

Aparece o retrato de Denílson, Wladimir e Peixoto.

PEIXOTO
(Vai até a TV e fica admirando o seu retrato falado, fica feliz e excitado)

Viu? Eu não falei pra vocês que eu ainda ia ficar famoso! Olha eu na televisão!

(Delirante)
...É, bom... agora que eu sou um cara muito famoso, tenho muitos compromissos, muitas mulheres pra comer, agenda cheia, né? Eu vou indo nessa. Dá licença, hein? Valeu.

Ele vai em direção aos compromissos inexistentes, mas Wladimir o segura.

WLADIMIR

Você não vai a lugar nenhum, companheiro. Os milicos estão atrás da gente agora, nós estamos juntos nisso até o final. Vamos fundar um grupo revolucionário para acabar com essa ditadura sanguinária e sanguinolenta!

Os três dão as mãos e fazem um pacto.

WLADIMIR (CONT'D)
Abaixo a ditadura!

DENÍLSON
Abaixo a carne vermelha!

PEIXOTO CARLOS
(Solene)

Abaixo aquele impostor que diz ser o rei da Jovem Guarda!!!

Neste exato momento chega dona Julieta trazendo o *big* lanche: três sanduichões com três copos de vitamina.

OS CARIOCAS ABRAÇAM OS CAMPEÕES DO MUNDO
PRA FRENTE BRASIL
SAUDAÇÕES CARIOCAS AO IDOLO JAIRZINHO

JULIETA
Ah, não! Aqui em casa ninguém vai falar mal do Rei! E vamos tomando este lanchinho, porque ninguém derruba a ditadura de barriga vazia, hein?

Dona Julieta sai. Denílson enrola o sanduba e fuma. As atenções se voltam para o JN que rola na TV.

CID
Depois de golear a Seleção da Itália, o capitão Carlos Alberto Torres levanta a taça!

Os três olham a TV, que mostra Carlos Alberto Torres levantando a taça do mundo.

CID (CONT'D)
(Bem solene)

A taça do mundo é nossa! Com brasileiro não há quem possa!

Wladimir começa a sorrir.

WLADIMIR
Como é que eu não pensei nisso antes, companheiros! Já sei o que temos que fazer para desmoralizar de vez essa ditadura militar repleta de milicos!

Os outros dois o olham curiosos.

CENA 22
EXT. AVENIDA DESFILE / CARRO LUCY - DIA

Um REPÓRTER DE TV está na rua, cobrindo a festa do tri. Entra legenda com 23 de junho de 1970, a data da chegada dos jogadores ao Brasil.

REPÓRTER TRI
Hoje é o grande dia. O dia em que os heróis do tricampeonato chegaram ao Brasil, carregando em triunfo a Taça Jules Rimet, conquistada em definitivo no mundial do México!

Wladimir, Denílson e Peixoto estão vestidos com uniformes de oficiais do Exército. Os três vão abrindo caminho, pedindo licença, empurrando, pisando nos pés das pessoas, sendo xingados, até chegar ao carro dos bombeiros..

DENÍLSON
(Viajandão, bobo com multidão)

Pô, loucura aí... esse lance de multidão é muita gente, bicho... podis crê... mór viagem, aí... putzgrila!

WLADIMIR
Vamos, companheiro Denílson! Não temos tempo a perder. Nós temos uma missão a cumprir!

Na cabine do caminhão, estão dois bombeiros. Wladimir sobe na porta ao lado do motorista, bate continência e fala.

WLADIMIR
Major Gomes se apresentando. Sargento! Trago ordens expressas do general Avelar para que você e sua equipe se desloquem prontamente para atender uma ocorrência de incêndio no bairro do... Tatuapé!

BOMBEIRO 1
(Assustado, batendo continência)

Sim, senhor, sim!
(Mudando o tom)

Mas, major, nós estamos transportando jogadores da Seleção Brasileira...

WLADIMIR
A viatura fica sob meu comando, sargento! Obedeça à ordem do general!

BOMBEIRO 1
Sim, senhor, sim!

Lucy está chegando com seu carro, no meio da multidão de torcedores que compareceu à chegada dos tricampeões de 70. Lucy continua dirigindo vagarosamente em meio da galera.

LUCY
(Buzinando)

Sai da frente! Ai, meu Deus! Que saco! Esse trânsito não anda!

Ela vê nossos 3 TERRORISTAS em ação tomando o controle do carro do Corpo de Bombeiros com os TRICAMPEÕES.

LUCY (CONT'D)
Caraca!

LUCY chama um GUARDA DE TRÂNSITO que estava por ali.

LUCY (CONT'D)
Seu guarda! Seu guarda! Dá pra tirar esse pessoal da minha frente que eu tô com pressa?

GUARDA
Ô, minha filha... tu num tá vendo que hoje aqui não é permitido andar de automóvel?

Enquanto o guarda fala, ela vê o caminhão dos bombeiros se desgarrando da multidão e partindo em velocidade.

LUCY
(Fazendo charminho)

Ah, seu guarda... mas nem pra quem é gostosa e está usando uma minissaia bem curtinha sem calcinha?

GUARDA
(Olha pro material coxal)

Bom, nesse caso acho que nós podemos abrir uma exceção...

Começa a apitar e abrir passagem na multidão pro carro de Lucy usando toda sua autoridade com a galera...

GUARDA (CONT'D)
Ô cidadão, sai da frente aí, pra moça passar!

Lucy agradece. Corta para

CENA 23
EXT. AVENIDA DESFILE / CABINE CAMINHÃO - DIA

Os dois bombeiros descem do caminhão, os nossos guerrilheiros entram na cabine e vão embora. Os dois bombeiros vêem a viatura se afastar, meio confusos. Lucy segue com o carro.

BOMBEIRO 2
Ô Souza, ô Souza, desde quando tu é sargento?

BOMBEIRO 1
Sei lá, pô.

BOMBEIRO 2
E quem é esse tal de general Avelar? Nunca ouvi falar...

BOMBEIRO 1
E vem cá, Tatuapé não é em São Paulo?...

BOMBEIRO 2
E tu não achou esquisito aquele major barbudo? E os dois outros militares cabeludos? Nunca vi isso no Exército.

BOMBEIRO 1
Ah, meu irmão, a ditadura é deles, eles fazem o que eles querem. Se o cara quiser usar barba, usar batom, andar de *babydoll*, o problema é deles! Enquanto eles tão mandando, eu tô obedecendo...

Wladimir acelera o caminhão.

CENA 24
EXT. AVENIDA DESERTA - DIA

O carro do corpo de bombeiros anda em velocidade bem maior, ainda com os jogadores em cima. Ninguém os segue.

CENA 25
EXT. AV. DESERTA / CABINE DO CAMINHÃO - DIA

Wladimir dirige.

PEIXOTO

É uma brasa, mora! Chuchu beleza! Tomate maravilha! A gente conseguiu se livrar da multidão! Mas e agora? O que é que a gente vai fazer com os jogadores?

CENA 26

EXT. AV. DESERTA / CAMINHÃO CORPO BOMBEIROS – DIA

Os HERÓIS DO TRI – entram Carlos Alberto, Jairzinho e o nosso Pelé (C&P) – caracterizados deles mesmos quando jovens, entreolham-se desconfiados e conversam entre si.

PELÉ (C&P)

Tá muito estranho isso... esse motorista tá correndo demais, entende?

JAIRZINHO

Pô, esse cara é maluco. A multidão ficou lá pra trás, rapaz!

Nosso Pelé (C&P) se aproxima da cabine do caminhão e dá uns tapas no teto da cabine, chamando a atenção do trio terrorista.

PELÉ (C&P)

Ô cidadão, o limite aqui é 60 quilômetros, entende? Que correria é essa? Por acaso vocês vão apagar algum incêndio?

Os três se entreolham tensos. Depois de um tempinho, o silêncio é rompido.

WLADIMIR

(Cochicha para os dois)

Deixa comigo, companheiros! Eu tenho um plano!

Wladimir freia abruptamente o caminhão, nosso Pelé (C&P) despenca lá de cima caindo pela frente do caminhão. Os três vêem a queda pelo vidro da frente e ficam apavorados.

PEIXOTO

Iiiiiihhhh... Matamo o Pelé...

Pelé, o verdadeiro, surge ileso, espanando um pouco de poeira da roupa.

PELÉ (C&P)
(Injuriado)

Ô motorista, não faça do seu carro uma arma! A vítima pode ser: Eu! Você não entende nada de direção, entende?

WLADIMIR
Calma, companheiro Pelé... Calma, companheiros do escrete canarinho. Nós já vamos levar vocês pra casa. É que deu um probleminha aqui no caminhão e todo mundo vai ter que descer pra empurrar...

PEIXOTO
Aí Pelé, tu se deu bem, aí, tu não precisa descer, tu já desceu!

Os jogadores descem reclamando. Wladimir aproxima-se de Carlos Alberto Torres, que está com a taça na mão.

WLADIMIR
(Apontando para a Jules Rimet)

Ô companheiro, pode deixar que eu guardo a taça dentro do caminhão...

TORRES
Não, não... peraí, ô. Eu sou o capitão da seleção, tá compreendendo, e só eu que posso levar a taça, tá compreendendo? Ninguém mais, tá certo?

PELÉ (C&P)
É isso mesmo, entende?

WLADIMIR
Peraí! Você é capitão? Eu sou major! Tá vendo isso aqui, rapá?
(Aponta para as suas insígnias)

Sou teu superior... não discute comigo, ou tu quer ir pro pau-de-arara?!!
(Acordes dramáticos)

TORRES
(Acuado)

Não, peraí... Tudo bem... tudo bem.

Jogadores reclamam. Wladimir apanha a taça e vai para a cabine cheio de si.

WLADIMIR
(Para os companheiros, entrando na cabine)

Rapaz, até que esse negócio de pau-de-arara funciona...

(Para os jogadores)
Empurra aí, galera!

Os jogadores se posicionam para empurrar. Peixoto bota a cabeça para fora da janela.

PEIXOTO
(Estimulando-os, gritando sem cantar)

Todos juntos! Vamos! Pra frente, Brasil! Brasil! Empurra, seleção.

(Muda tom e fala para Denílson)
Aí, isso dá música, hein?

Os jogadores empurram o caminhão na hora em que Wladimir dá a partida. Os jogadores ficam para trás, encobertos pela nuvem de fumaça do escapamento. O caminhão some na primeira esquina. Os jogadores ficam abandonados no local, um deles comenta:

JAIRZINHO
Pô, que absurdo! Esses bombeiros deixaram os tricampeões do mundo aqui, a pé?

PELÉ (C&P)
É... deve tá pegando fogo na casa de alguém muito importante, entende?

casa de wladimir e julieta

cenas 19 e 21

Um mix de aparelho católico e santuário comunista

julieta

– COMO ERA SE VESTIR COM AQUELA PARAFERNÁLIA TODA DE MULHER VELHA?

REINALDO – Eu depilei as mãos e ainda tinha que fazer a barba duas vezes ou mais por dia. Só pra fazer meu penteado ficar igual ao da véspera, eram mais de duas horas de laquê. As mudanças eram tantas que nem precisei mudar a minha voz. Ficou engraçada uma velha com aquela voz. Eu já tinha mais prática de velha, fiz tantas senhoras na televisão... se bem que na televisão minhas mulheres parecem uns Tony Ramos, não têm preocupação com os pêlos.

– SOUBEMOS QUE VOCÊ TERIA QUE DEPILAR AS MÃOS E ACABOU DEPILANDO TAMBÉM A VIRILHA. MANTEVE ASSIM ATÉ HOJE?

REINALDO – Mas não vou mostrar para não chocar os leitores.

HELIO – Essa foi a única vez que Denílson fumou alguma coisa nutritiva: um sanduíche servido pela Julieta, mãe do Wladimir. Discutimos muito sobre como Denílson ia fumar o sanduíche. Enrolado num papel, pra parecer um cigarro? Ou fumaria o sanduíche mesmo? Achamos que fumar o sanduíche ficaria mais engraçado por ser inusitado.

Gualter Pupo, o diretor de arte do filme, mostra que é um entusiasta da Teologia da Libertação num cenário mezzo comunista, mezzo católico.

Peixoto Carlos: detalhes tão pequenos de nós dois.

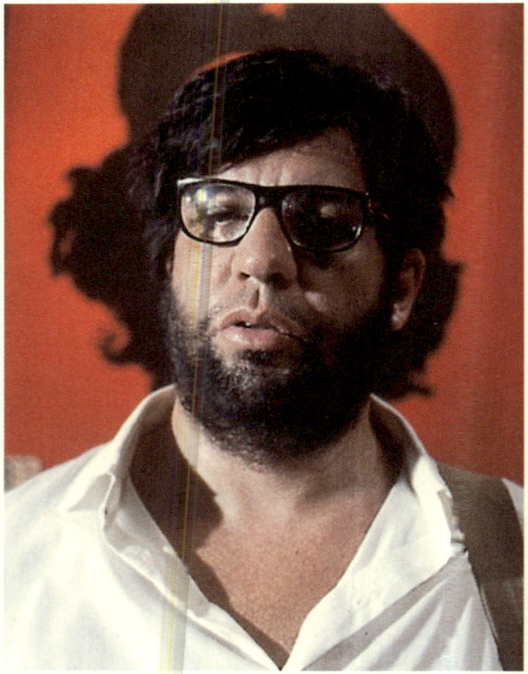

Wladimir e seu líder máximo, Claudio Manoel.

Roberto e Peixoto

cena 20

HUBERT – Mas a cena mais difícil pra mim foi aquela em que Peixoto Carlos falava com Roberto. Primeiro, não estava com nenhum outro ator. Ter outra pessoa pra contracenar sempre ajuda. Segundo, tive que fazer muitas vezes a mesma coisa, depois trocava de roupa, de posição, mas sem sair do cenário. Foi quando fiquei mais nervoso, preocupado com o resultado.

roubo da taça
cenas 22 a 26

MARCELO – A Taça Jules Rimet é uma espécie de Santo Graal brasileiro. Foi a única taça da Fifa que um país tricampeão pôde levar para casa. O Brasil teve essa primazia. Mas como aqui é o Brasil, a taça foi roubada e derretida em 83. E nosso Santo Graal foi pras cucuias.

Uma multidão de figurantes foi às ruas para saudar a chegada dos sósias da seleção canarinho e ver de perto a réplica da taça Jules Rimet, minutos antes de ela ser roubada pelo grupo terrorista PANAC.

LULA – Começamos logo por uma cena complicada, a chegada da Seleção Brasileira. Nossa intenção era misturar a cena com material de arquivo de época, fazendo de conta que era tudo a mesma coisa. Mas vimos que não tinha como misturar cenas com 120 figurantes e outras, reais, com mais de cinco mil pessoas. Estudamos muito os ângulos da câmera e conseguimos fazer com que parecesse estar ali uma multidão enorme.

– ONDE VOCÊ ESTAVA EM JUNHO DE 70?

HUBERT – A gente ficava tão impressionado com a seleção que, quando acabavam os jogos da Copa, saía alucinado pra jogar bola. Até pernas-de-pau históricos como eu tentavam repetir aquelas jogadas.

BUSSUNDA – Eu tinha oito anos. Eu e meus irmãos compramos um saco de bombinha de São João pra comemorar e no terceiro jogo ele foi confiscado pelo meu pai. Meus pais eram comunistas e torciam contra a seleção por achar que era propaganda da ditadura. Mas depois da grande final, meu pai devolveu o saco de bombinhas: "Vamos pra rua comemorar!" Já que ganhou mesmo...

REINALDO – Eu andava metido com música, fazia *jingles*, tocava com o Equipe Mercado, e não era nem um pouco interessado em futebol.

BETO – Em frente à televisão, torcendo por Jairzinho, meu ídolo. O Furacão da Copa! Ele comemorava os gols dando cambalhotas e eu achava o máximo aquelas estripulias.

HELIO – Eu estava fazendo 11 anos de idade. Só via o lado da Copa do Mundo. Não sabia quem era o capitão Lamarca, só conhecia o capitão Carlos Alberto. Depois, em 78, na faculdade, é que fui viver experiências políticas. Resgatei alguma coisa do movimento estudantil pra fazer o filme.

CLAUDIO – Em 10 de junho de 1970, eu tinha sido suspenso no colégio e fui proibido de ver Brasil x Uruguai. Chorei, eu era completamente fanático por futebol, sabia a escalação de todos os times da Copa, fui à chegada dos tricampeões e vi aquela seleção – com Pelé, Rivelino, Gérson e Tostão – jogando em Moça Bonita. Era um negócio mítico!

MARCELO – Eu tinha 12 anos e morava em Ipanema, onde os jogos da Copa eram muito animados. A comemoração começava cedo e ia até que a polícia chegasse para baixar a porrada nos torcedores! Naquela época, no Brasil, tudo era pretexto pra baixar a porrada.

MARIA PAULA – Estava na barriga da minha mãe. Minha gestação foi com uma galera gritando! Minha mãe conta que já cheguei dando sorte, porque dentro da barriga, eu já torcia para o Brasil ganhar o tri.

CLAUDIO – Para essa cena, houve uma grande discussão se a gente devia usar os jogadores reais, pois com a idade estariam diferentes, mas acabou dando uma química superlegal.

BETO – Fiquei impressionado com o Jairzinho. A mesma desenvoltura e o jeito moleque que mostrava em campo estavam presentes nas filmagens. Ele inventou alguns cacos, como, por exemplo, quando o grupo terrorista está levando a taça embora, ele reclama: "E os meus gols, não valeram nada?!" Isso foi uma invenção dele na hora.

BUSSUNDA – Jairzinho é o Mussum! Ele só tinha uma fala, o resto foi caco: "E os meus gols, não valeram nada?" "Segura, Capita!" Carlos Alberto também foi engraçado. Todos eles ficaram naquele calor o dia inteiro sem reclamar. Quando fomos agradecer, ele falou: "Que isso, até recebi! Tô trabalhando há dois anos de técnico em tudo quanto é time e não consegui receber!"

– A CENA MAIS DIFÍCIL DE FAZER?

BUSSUNDA – Foi a seqüência do roubo da taça. Estava um puta calor e levamos três dias pra fazer. O caminhão de bombeiros foi o mesmo do desfile dos bicampeões mundiais em 62, foda de dirigir!

você sabia?

O caminhão do corpo de bombeiros nunca apagou um incêndio. Ele é do ano de 1954, transportou a seleção canarinho bicampeã em 62 e fez ponta em vários filmes nacionais. Na tevê, atuou no *Casseta & Planeta Urgente*, transportando Felipão Pré-Escolari (Beto Silva) e a seleção brasileira do humorístico na festa do penta.

– É a taça, meu rei!
– Ô Furacão, que volume é esse aí atrás de mim?

– FOI UMA ÉPOCA EM QUE GRANDE PARTE DO PÚBLICO DO SEU FILME NÃO VIVEU, AFINAL, VOCÊS TÊM MUITOS FÃS ADOLESCENTES.

BUSSUNDA – É que nem Austin Powers. O grande público desses filmes também não viveu os anos 60, mas entra na curtição.

CLAUDIO – Vai acontecer como a cereja e o *sundae*. Quem tem essa bagagem, vai comer o *sundae* e a cereja. Quem não pegar as referências, come o *sundae*. Mesmo quem não conhece Jairzinho ri de uma cena com a Seleção Brasileira sendo seqüestrada.

BETO – O grupo terrorista aluga o aparelho que o Gabeira está liberando porque ele vai devolver o embaixador americano. Você não precisa saber que aquele é o Gabeira pra entender a situação.

JOGO DOS TRICAMPEÕES

UMA BRINCADEIRA BOA PRA QUEM FOR ASSISTIR AO FILME É TENTAR DESCOBRIR QUEM É JOGADOR DE VERDADE E QUEM SÃO OS SÓSIAS. ALÉM DO CAPITÃO CARLOS ALBERTO, DO FURACÃO JAIRZINHO E DO PELÉLIO DE LA PEÑA, QUE OUTROS CRAQUES DO TRI VOCÊ É CAPAZ DE IDENTIFICAR?

1 - Pelélio

2 - G _ _ _ _ _

3 - Carlos Alberto

4 - Z _ _ _ _ _

5 - P _ _ _ _ _

6 - Jairzinho

7 - J _ _ _

8 - T _ _ _ _ _

9 - E _ _

10 - R _ _ _ _ _ _ _

11 - E _ _ _ _ _ _ _

(RESPOSTA NA PÁGINA 189)

CENA 27

INT. DISCOTECA DOS MILITARES – NOITE

Música romântica: *Eu vou tirar você desse lugar*, de Odair José.

Boate, tipo casa de *show*. No interior da boate, vemos um letreiro que anuncia: A LONGA NOITE DA DITADURA. Os freqüentadores são todos oficiais graduados, os poucos soldados presentes são só funcionários. Mesmo sendo uma casa noturna com pista de dança e palquinho, os milicos batem continência e adotam outras posturas militares. Algumas dançarinas, bem gatas, vestidas em trajes sumários, com inspiração militar, tipo biquínis e quepes com padronagem militar, *boots* e cartucheiras, enfim, ícones do erotismo milico, dançam eroticamente, rebolando freneticamente, em cima de queijos, desempenhando naqueles mastros de *strippers*. Dois soldados estão sentados bem embaixo de uma *stripper*. Eles olham boquiabertos para a gostosa. Passa o general Manso, eles se levantam batendo continência e vemos, pelo volume nas calças, que os pênis também estão em posição de sentido. Vemos um casal abraçado numa mesa. Um OFICIAL e uma mulher bonita com camiseta de foice e martelo e boina de Che Guevara. O milico chama o garçom, que se aproxima e serve um drinque para ele e uma bacia para ela. O oficial enfia a cabeça da comunista na bacia, enquanto toma o seu uísque. O general Mirandinha chega, meio sem jeito, acompanhado de dona Dolores.

DOLORES

Anda logo, seu molóide! Nós somos sempre os últimos a chegar.

MIRANDINHA

Ih, Dolores, pra que essa pressa? Não sei que graça você vê nessas reuniões do alto comando... só tem homem velho, com papo chato, e essas mulheres seminuas rebolando...

O casal está entrando no recinto quando é interceptado por um dos soldados recepcionistas. O soldado é muito grande e fortão.

SOLDADO RYAN

Um momento, um momento. A senhora me desculpe, mas com exceção das dançarinas seminuas, não é permitida a entrada de mulheres do sexo feminino...

DOLORES

(Apoplética, iradíssima, cola a cara junto à do soldado, como um sargentão *full metal jacket*)

Como é que é?!! Como é que é?!! Você perdeu a noção do perigo, rapaz? Você sabe com quem está falando?! Não foi para isso que nós fizemos a revolução. Para ser barrada por um soldadinho qualquer.

MIRANDINHA

Calma, Dodozinha, o moço tem razão, é melhor a gente ir embora.

DOLORES

(Para Mirandinha)

E você cala a boca que eu estou discutindo é com este rapaz aqui.

(Voltando para o soldado)

Saia da frente! Ou quem sabe, você queira experimentar o pau-de-arara?

(Acordes dramáticos)

SOLDADO

Não, não....

O soldado fica acuado, bate continência, o casal segue adiante. O general Mirandinha circula pela festa, de saco cheio, ninguém dá bola pra ele, já Dolores cumprimenta todo mundo, simpática. Todos estão sentados nas mesas ou em pé, conversando, em volta da pista de dança.

CENA 28

INT. DISCOTECA DOS MILITARES / SALA PRIVÊ - NOITE

O general Manso está numa rodinha conversando com oficiais. O soldado Ryan traz um telefone azul, que está tocando, para o general Manso atender.

SOLDADO RYAN
(Tremendo de medo)

General Manso, o telefone está tocando.

Pára a música. Silêncio total. Todos olham para o general Manso.

MANSO
Ah! O telefone vermelho? É a minha linha direta com o presidente da República!

SOLDADO RYAN
Mas, general, o telefone é azul...

MANSO
(Dá um tapão na cara do soldado)

Idiota! Vermelho é cor de comunista. Você acha que o meu telefone vermelho ia ter cor de comunista?

(Atende o telefone)
Alô, senhor presidente... perfeitamente, senhor presidente. Pode ficar tranqüilo, assim que o desfile terminar os jogadores vão me trazer a taça. Amanhã pela manhã, a taça estará no palácio, senhor presidente.

O soldado Ryan vem com uma bandeja. Manso se aproxima.

SOLDADO RYAN
O senhor aceita um drinque, uma *cuba libre*??

MANSO
(Levanta o soldado pelo colarinho com sua força extraordinária)

Cuba libre?! Não aceito, não admito e repilo!!! A presença de um drinque comunista nesse recinto é uma provocação às forças armadas brasileiras. Vou te botar no pau-de-arara!!

(Chama o soldado Arara)
Soldado Arara! Dá um pau nele!

VOZ OFF
Sim, senhor!

SOLDADO RYAN
Ahhh!!!! Não! Aaaaaaaaarara...

CENA 29
INT. DISCOTECA DOS MILITARES - NOITE

Corta para o palco onde vai acontecer a apresentação da grande atração da noite. No cartaz do *show* está escrito: A LONGA NOITE DA DITADURA HOJE: *SHOW* COM GAL. COSTA.

Mirandinha e Dolores estão por ali.

MIRANDINHA
Ué, Dolores, hoje tem *show* com a Gal Costa? Mas ela não é aquela *hippie* cabeluda, amiga daqueles comunistas baianos?

DOLORES
Não, sua besta, o *show* é do general Costa... o maior nome da Música Militar Brasileira...

Entra no palco o GENERAL COSTA, um misto de cantor *pop* e general (roupa de general, com um cabelão no estilo *blackpower* bem exagerado). Em cima do cabelo, se equilibra o quepe.

GENERAL COSTA
Alô, rapaziada da caserna! Alô, *crazy people*! Quero ver todo mundo balançando o esqueleto! Som na caixa!

Todos se levantam, ficam em formação de tropa na pista de dança e respondem. O general Costa canta uma música dançante. Paródia de *Que Beleza!*, de Tim Maia: *Que Dureza!*.

GAL. COSTA
Uh, uh, uh, que dureza
Que dureza ser milico linha dura
Levar a vida só prendendo comunista
Pra bater e dar porrada sem frescura
E depois fazer sumir, sem deixar pista
Uh, uh, uh, que dureza
Que dureza essa longa noite da ditadura
Pintar árvore, torturar, lavar banheiro
Lustrar botas com bravura
Em defesa do território brasileiro
Uh, uh, uh, que dureza

Os militares se organizam em forma de pelotão e dançam animadamente, num estilo John Travolta, a boate vira uma festinha, os milicos dançam entre si, em turminhas, tudo bem másculo, viril e, por incrível que pareça, nada *gay*.

CENA 30

INT. DISCOTECA DOS MILITARES - NOITE

O soldado Ryan entra no palco, interrompendo o *show* do general Costa.

SOLDADO RYAN

Atenção! Atenção! Trago uma mensagem ultra-secreta e confidencial, autorizada apenas para os generais de cinco estrelas, ou mais. Todos os demais devem iniciar, imediatamente, o procedimento de segurança para mensagem secreta!

Todos os não-graduados (só uns três ou quatro além dos C&P são o pessoal autorizado) tapam os ouvidos e começam a fazer "blablablá", para não ouvirem a mensagem.

SOLDADO RYAN (CONT'D)

Procedimento-padrão iniciado! Essa mensagem se auto-destruirá em 15 segundos: a Taça Jules Rimet foi roubada por um grupo de terroristas subversivos... quanto tem aí, hein?

MANSO

(Olha no relógio)

Treze... quatorze...

O soldado Ryan explode.

MANSO (CONT'D)

Como comandante da importante missão de recuperação da Taça Jules Rimet, quero dizer que...

DOLORES

Você não quer dizer nada, seu Manso! Você só mete medo nos

seus generaizinhos aqui. Você não vai comandar essa operação. Quem vai comandar esta operação é o meu marido, o general Miranda Imbyrussu, do Exército brasileiro!

MIRANDINHA
Eu?!! Tá maluca, Dolores?! Esse negócio de perseguir comunista é muito estressante...

DOLORES
Deixa de ser trouxa, Mirandinha! Essa é a nossa chance! Você encontra essa taça, fica famoso e vai ser o próximo presidente da República! E eu serei a primeira-dama!

MANSO
(Voltando ao assunto)

Mas dona Dolores...

DOLORES
Não tem mais nem menos mais... Nananinanão... Eu já resolvi e tá resolvido! Vamos embora, chega de papo furado!

Os dois saem, Manso fica embevecido.

MANSO
Que mulher admirável... Que fêmea...

CENA 31

EXT. AVENIDA DESERTA / CABINE DO CAMINHÃO – DIA

Os três subversivos confraternizam.

WLADIMIR
A taça do mundo é nossa, companheiros! É a primeira vitória da nossa organização contra a ditadura. Viva o MRV!!

DENÍLSON
Ué? MRV??! Que diabo é MRV?

WLADIMIR
Movimento Revolucionário do VLADIMIR.

DENÍLSON
Mas por que do Wladimir?

WLADIMIR
Ué, porque o movimento é meu, né?

PEIXOTO
Não acho justo, não... Eu, como representante da classe artística, tinha que ser consultado. Esse nome MRV não tá legal, não, bicho...

DENÍLSON
E além do mais, por que esse "V", Wladimir não é com "W"?

WLADIMIR
Você não entende nada de ditadura, companheiro! E você acha que eu ia dar meu nome verdadeiro? Wladimir com V é meu codinome!! É para iludir as forças repressivas da repressão...

De repente o caminhão pára, eles solavancam dentro da cabine. Do motor do caminhão sai a maior fumaça. Eles tentam fazer o caminhão andar, mas vê-se que o caminhão está totalmente pifado.

DENÍLSON
Putzgrila! Que fumacê, bicho... parece até o meu quarto, aí...

WLADIMIR
Vamos, companheiros! O veículo utilizado na operação não está mais operacional! Teremos que continuar a luta revolucionária na condição de pedestres! Companheiro Peixoto Carlos! Me entregue a taça que expropriamos da ditadura!

Peixoto pega a taça e guarda-a.

CENA 32
EXT. PONTO DE ÔNIBUS - DIA

PASSAGEM DE TEMPO

Nossos terroristas heróis caminham pela rua e vão mudando de roupa. Chegam num ponto de ônibus, cansados, olhando desconfiados, temendo a própria sombra. No ponto, deserto, só há um BÊBADO, dormindo. Sem perceber, os três param de costas para um cartaz, sem vê-lo. O cartaz tem os retratos falados deles com a inscrição: "PROCURADOS PERIGOSOS TERRORISTAS SUBVERSIVOS."

DENÍLSON
Chuchu beleza, bicho! Agora que a gente tá com a taça na mão, os milicos vão ter que atender nossas reivindicações...

PEIXOTO
Podes crer, bicho! Nós temos que exigir o fim do racismo na Jovem Guarda. Eu, por exemplo, só não alcancei o estrelato, porque o movimento não permite a presença de um artista negro!

Bate no peito, orgulhoso.

DENÍLSON
Peraí! Você não é negro...

PEIXOTO
É... Isso também atrapalhou um pouco...

BÊBADO
Ei! Vocês seis aí... Eu tô reconhecendo vocês! Vocês são artistas, né?

WLADIMIR
Peraí, meu amigo, o senhor está completamente bêbado e deve estar confundindo a gente com outras pessoas.

BÊBADO
Tô confundindo não. São vocês mesmos... é a foto de vocês que tá nesse cartaz aí... quem aparece em cartaz é artista...

Só agora é que os três percebem o cartaz com as caras deles – o cartaz está no poste. Wladimir empurra o bêbado para o lado.

WLADIMIR
Peraí, companheiro bebum, deixa que eu leio isso. "Procurados Perigosos Terroristas Subversivos Vivos ou Mortos. De preferência, mortos!"

DENÍLSON

Mortos?!!! Iiiihh... a gente sifu!

PEIXOTO

E não é só matar não... eles vão prender, vão bater e vão torturar a gente com ferro em brasa... mora!

DENÍLSON

(Arrancando o cartaz)

Pô, vamos arrancar esse cartaz logo! Antes que alguém veja...

BÊBADO

Ih, vocês vão arrancar o cartaz, é? Então é bom vocês tarem com bastante tempo... ó...

O movimento de câmera revela que tem cartazes colados em todos os lugares possíveis. Chega um lotação coberto com uma versão grande do cartaz, colada na lateral do veículo, como se fosse publicidade em ônibus.

Salta um passageiro com uma camiseta com foto dos terroristas.

Outdoors também reproduzem o cartaz. Ouve-se um barulho de avião e caem panfletos reproduzindo o cartaz.

WLADIMIR

(Pegando um panfleto)

E agora? O que é que a gente faz?

BÊBADO

Ué, rapaz. Por que é que tu não pede carona pra aquela dona que tá seguindo vocês há um tempão?

Eles se viram para um local onde está estacionado o carro da Lucy. Ela, simpática, dá um tchauzinho pra eles. Eles se aproximam dela.

DENÍLSON
(Se lembra de Lucy)

Aaaahhh!! Você é aquele broto sem calcinha, que tava na chavascaria com a churrasca de fora.

WLADIMIR
(Tem um rompante de líder. Pula pro banco do carona)

Você e seu carro estão sendo expropriados para serem usados na luta contra a ditadura! De agora em diante, você e seu carro são propriedades do MRV, Movimento Revolucionário do Vladimir.

Os outros dois também pulam pra dentro do carro.

PEIXOTO
Lá vem você com esse nome horrível de novo, bicho.

DENÍLSON
É isso aí, esse nome não tem nada a ver. Acho que a gente tem que bolar um nome mais transado...

LUCY
Olha, eu não queria me meter... eu sei que o grupo revolucionário é de vocês, mas será que vocês não podiam debater essa questão outra hora e decidir logo pra onde é que a gente vai, hein?

PEIXOTO
É! Eh.... Pra onde é que a gente vai, Wladimir?

WLADIMIR
(Fazendo birra)

Ih, não quero nem saber. Na hora de batizar nosso movimento, meu nome é uma merda, agora na hora de descolar um esconderijo seguro é: pra onde é que a gente vai, Wladimir?! Vão se catar!

LUCY
Desculpe interromper novamente, eu sei que o grupo terrorista não é meu, mas eu também sei de um ótimo esconderijo pra gente.

WLADIMIR
Tudo bem! Precisamos de um esconderijo seguro e quentinho e eh...
(Lucy suspira)
pra descansar e pra retomar a luta até a derrocada final do capitalismo!

Lucy arranca com o auto em desabalada correria. O bêbado fica na cena.

CENA 33

EXT. ESTRADA / CARRO DE LUCY - DIA / NOITE

Começa com o dia claro e anoitece enquanto eles estão no carro.

LUCY dirige o carro, WLADIMIR está no banco do carona, os outros dois, no banco de trás. DENÍLSON se remexe incomodado.

DENÍLSON
(Tirando uma bolsa da bunda)

Pô, tem uma coisa me incomodando aqui, bicho. Que bolsa esquisita é essa, hein?

LUCY
Ih... não fala mal da minha bolsa, não! Aí, essa bolsa é de palha legítima, sacou? É do Ceará.

DENÍLSON
(Se animando)

Peraí, se é do Ceará, não pode ser palha...

Ele começa a enrolar a bolsa, fazendo um cigarro enorme.

LUCY
Gente, eu acho tão excitante essa vida de revolucionário de vocês. Ai! Essa luta pela liberdade, essa rebeldia...

WLADIMIR
Cala a boca! Você não passa de uma filha dessa burguesia pequeno-burguesa que está entregando o Brasil para o imperialismo americano ianque do estrangeiro!

LUCY
Ai! Fiquei toda arrepiada! Nossa, broto, você diz coisas tão bonitas. Ah, mas aposto que você diz isso para todas...

Lucy dá uma patolada nas entrecoxas de Wladimir, perto da faixa de Gaza.

WLADIMIR
(Se assusta e fica nervoso)

Afaste seus dedos pequeno-burgueses da minha virilha revolucionária!

WLADIMIR (CONT'D)
(Tirando a mão de LUCY de cima dele)

Nada afastará minha atenção da luta pela vitória final!

Ela faz cara de saco cheio. Enquanto isso, Denílson apertou seu baseado de bolsa e está fumando. Lucy liga o rádio. Está tocando *BR3*, de Toni Tornado.

MÚSICA (DO RÁDIO): "A gente corre, na BR3..."

PEIXOTO
Desgraçados! Roubaram minha música. Fui eu que fiz essa música, bicho! Só que a estrada era outra e a letra era mais educativa. Olha só:

(Cantarola)
"A gente corre na BR101, que percorre o litoral brasileiro atravessando a serra do Maaaaar..."

O carro pára ao avistar uma *blitz.*

DENÍLSON
Ih, sujou! Os hômi! Putzgrila! A gente sifu! Tenho que me livrar desse flagrante!

Denílson engole o baseado. Começa a sair fumaça pelas orelhas dele.

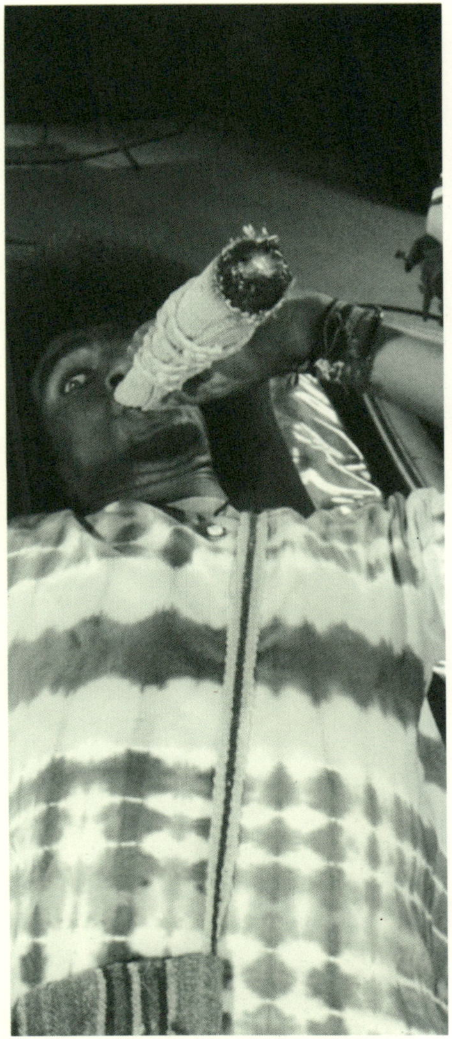

LOPES

CENA 34
EXT. ESTRADA / *BLITZ* – NOITE

Vemos que uma *blitz* fortemente armada está na frente. Eles não têm escapatória. Clima de muita tensão. Eles tentam malocar a taça e acabam se atabalhoando.

A mochila do Wladimir se abre e material subversivo (panfletos, jornais, livros, com inscrições: material subversivo, livro de comunista, panfleto comprometedor) se espalha pelo carro.

WLADIMIR
Meu Deus... meu Deus não, que eu sou ateu... caímos nas garras da repressão!

LUCY
Calma, broto. Deixa comigo, deixa que eu resolvo essa parada. Passa minha bolsa aí? Pega meus documentos, devem estar aí atrás.

Vemos que Denílson está acabando de engolir o último pedaço da bolsa.

DENÍLSON
(Fala de boca cheia)

Seus documentos tavam dentro do flagrante? Só vai dar pra devolver amanhã, aí...

Apavorados, eles vêem os guardas retirarem, com violência, os ocupantes do carro da frente do veículo. Os coitados são jogados no asfalto e metralhados impiedosamente. A tensão aumenta muito. Chega a vez deles.

O COMANDANTE da *blitz* manda eles encostarem. O comandante se aproxima, olha pra dentro do carro e encara os ocupantes. Os papéis comprometedores ainda estão jogados pelo auto. Vemos uma placa de estrada com a inscrição: RODOVIA BR-3.

COMANDANTE
(Para Lucy)

Você tem triângulo?!

LUCY
(Nervosíssima)

Tenho sim senhor.

COMANDANTE
Então me mostra.

Lucy sai do carro, vai até a mala e coloca o corpo para dentro, procurando, deixando sua minissaia subir e tarando os policiais.

LUCY (CONT'D)
Deve tá aqui, em algum lugar...

COMANDANTE se abaixando um pouco, para ver melhor.

COMANDANTE
A mala desse carro é muito grande, não é? Cabe bastante coisa... Muito bem, menina, pra mim tá bom. Eu já vi o triângulo. Está liberada.

LUCY
Brigada!

O carro vai saindo.

discoteca

cenas 27 a 30

Com a abertura dos arquivos do SNI, a equipe teve acesso a imagens inéditas dos bastidores da longa noite da ditadura.

dolores

MARCELO – Dolores é a mulher do general Mirandinha. As mulheres de militares brasileiros são mais autoritárias do que os maridos. Elas casam com militar porque não nasceram homem pra entrar pro Exército. Dolores foi um presente do diretor Lula Buarque, que me deu a oportunidade de me travestir de mulher diariamente durante seis semanas!

gal. mirandinha

CLAUDIO – O general Mirandinha Imbyruçu é um bunda-mole, contraponto ao general Manso, que é linha-dura. Ele é casado com a Dolores e pai da Lucy Ellen. É inspirado num personagem que Reinaldo e Hubert, juntos com Agner e Cláudio Paiva, fizeram no *Pasquim*, o general Avelar, que achava que aquele negócio de ditadura dava muito trabalho.

— VOCÊ FAZ ALGUM PERSONAGEM SECUNDÁRIO?

BUSSUNDA – Apenas um: o general Costa, um DJ que faz um *show* na boate Longa Noite da Ditadura. Pra essa cena do *clip*, recomendamos à produção que contratasse bailarinos que tivessem cara de militar. Foi uma das coisas mais difíceis de arrumar! Quem vir o filme pode avaliar se encontraram ou não.

— E OS FESTIVAIS DE MÚSICA, A JOVEM GUARDA, VOCÊ ACOMPANHAVA ISSO?

BUSSUNDA – Eu era de uma família de esquerda, era proibido de ver coisas como Amaral Neto ou de ouvir Roberto Carlos.

— O QUE VOCÊ OUVIA EM CASA?

BUSSUNDA – Canciones de la Guerra Civil Española, o uruguaio Daniel Viglietti, músicas dos Tupamaros, Geraldo Vandré, Chico Buarque.

— VOCÊ CHEGOU A SER DO PARTIDÃO (PARTIDO COMUNISTA BRASILEIRO)?

BUSSUNDA – Sim, entrei com 12 anos e saí com 18. Meu conflito com o Partidão era que eu não tinha muito saco de fazer as coisas partidárias. Deixava de ir à reunião pra jogar futebol.

A recepcionista do SNI acompanha o show do Gal. Costa com dona Dolores Imbyrussu, o canhão de uso exclusivo das forças armadas.

Gal. Costa, o Tim Maia milico, injuriado com a qualidade do som.

Bussunda, ainda preto, sente na pele a terrível discriminação racial que sofreu durante as filmagens.

gal. manso

BETO – É um general de ultra-hiper-superdireita que quer botar a mão na taça pra virar presidente da República. Representa um dos lados da ditadura: o lado direito. Fui escalado talvez por causa do meu físico, sou o maior do grupo. Na TV também faço tipos assim: general, chefe de traficantes, além do delegado do seriado *Fucker & Sucker*.

– A MÚSICA TEM UM PAPEL IMPORTANTE NA RECONSTITUIÇÃO DE ÉPOCA DO FILME. QUE TIPO DE MÚSICA VOCÊ OUVIA NAQUELES TEMPOS?

BETO – Sei lá, porra! Era um tempo muito antigo! Ah, claro! Emerson, Lake & Palmer! Eu gostava de *rock* progressivo. E também Led Zeppelin, Traffic... Depois comecei a gostar de Yes e de Genesis.

– JOVEM GUARDA ENTÃO NÃO ERA SUA PRAIA?

BETO – De jeito nenhum! Mas eu me lembro de Odair José e aquelas porras da música brega.

HUBERT – Foi uma época muito rica pra música brasileira. Era o auge do brega, com Odair José e Waldick Soriano... Roberto Carlos também vendia bem. Era o auge de Simonal e de Jorge Ben, com *País Tropical* e *Meu Limão, meu Limoeiro*. Era o começo dos Mutantes. Tinha o samba, com Martinho da Vila... sem falar nos festivais.

HELIO – Tem uma música que é emblemática do nosso grupo: *Eu vou tirar você desse lugar*, que foi o nome do nosso primeiro *show*, onde se juntaram pela primeira vez a *Casseta Popular* e o *Planeta Diário*, formando o Casseta & Planeta. Ela está na trilha sonora desta seqüência.

caminhão/fuga

cena 31

Disfarçados de milicos, Wladimir e Peixoto Carlos aproveitam o fumacê para se livrar dos jogadores e da equipe de filmagem e fugir com a taça..

você sabia?

WLADIMIR COM "V" é uma citação da vida real. Nos primeiros números do jornal *CASSETA POPULAR*, ninguém tinha coragem de assinar aquilo com os nomes verdadeiros. Para iludir as forças repressivas da repressão, Bussunda assinou como Bussunda 2. Afinal, Bussunda 1 todos sabiam quem era...

ponto de ônibus
cena 32

Os Três Patetas da Esquerda aguardam ansiosamente passar o Bonde da História.

– REINALDO É O CASSETA COM MAIOR NÚMERO DE PERSONAGENS. FORAM 12.

REINALDO – Fiz um garçom gaúcho, um bombeiro, um piloto de avião, um general do alto comando, um cara que puxa uma vaca, nosso Woody Allen *cover*... e a minha personagem principal, que é Julieta, a mãezinha do terrorista Wladimir. De todos, gostei mais de fazer o bêbado. A maior parte da cena dele foi cortada, mas gostei mesmo assim.

As filmagens no centro do Rio de Janeiro atraíram um grande número de bêbados e desocupados.

LULA – Domar os caras é impossível! Mas eles mesmos já direcionavam suas idéias. Pela própria experiência de televisão, todos eles são meio diretores e chegam com uma visão de como deveria ser.

CLAUDIO – Na televisão, você tem uma semana pra escrever um programa. Não dá tempo pra ficar discutindo. Mesmo assim, depois que o programa vai ao ar, é possível recuperar coisas pra semana seguinte. Já o filme vira pedra.

REINALDO – Não acho que o filme vire pedra quando o roteiro fica pronto. Nós inventamos muita coisa durante as filmagens. Criamos muita coisa também na montagem do filme. Na edição, cortamos cenas e mudamos a ordem de outras. Na sonorização, dublamos cenas, incluímos falas, outras passamos para *off*. A redação do filme continua funcionando.

estrada / blitz

cenas 33 e 34

– E O CARRO DA LUCY ELLEN?

MARIA PAULA – Um Karmmann Ghia rosa! Coisa mais linda! Pena que não andava, sempre tinha que vir alguém empurrar. Mas tudo bem, tem uns Cassetas também que só pegam no tranco.

BUSSUNDA – Helio e Hubert sofreram no banco de trás porque o Karmmann Ghia só tem lugar pra duas pessoas, na frente. Vem de uma cena do Denílson fumando na BR3 e chega numa *blitz* de dar medo! A cena também teve um lado pessoal: foi a primeira *blitz* que peguei onde eu sabia que não ia ser preso!

Peixoto Carlos tenta se encaixar atrás de Maria Paula, no bom sentido, é claro. De fora pra dentro... do carro.

Denílson fuma a bolsa de Lucy Ellen, mas jura que não tragou.

Toni Tornado em carne e osso (mais carne do que osso)...

BUSSUNDA – *Blitz*. Três horas da manhã, no Autódromo. Essa foi a última cena que rodamos. Estava um clima de festa porque as filmagens estavam acabando, mas a cena era muito tensa. Toni Tornado arrebentou, dentro e fora de cena. Fora, contando histórias, dentro, fazendo um policial de dublagem.

...aguarda ansioso a hora de dar uma dura em Lucy Ellen.

– TEVE ALGUMA CENA QUE VOCÊ LAMENTA NÃO TER ENTRADO NA EDIÇÃO FINAL?

CLAUDIO – A continuação da *blitz*. Não entrou porque não conseguimos os direitos da música. Depois que os guerrilheiros escaparam, chegaria um terceiro carro com um trio nordestino.

REINALDO – O soldado pára o trio e pergunta: "Tem triângulo?"
Aí, respondem (com sotaque nordestino): "Tem triângulo, tem sanfona e tem zabumba."
Começam a cantar: "Passei a noite procurando tu, procurando tu, procurando tu..."

CLAUDIO – Aí são fuzilados e Toni Tornado comenta: " Odeio essas músicas de duplo sentido."

CENA 35
EXT. CASA DE CAMPO / CARRO LUCY - AMAN

Eles chegam, reparando na casa, no gramado, nas roseiras. Não é casa de milionário, mas é bem bacaninha.

WLADIMIR
Huuuummmm... beleza de instalações. Vamos expropriar essa propriedade burguesa em nome da revolução!

LUCY
Hi! Sei não... esse negócio de expropriar, meu pai não vai gostar... ele adora as roseiras dele... e sabe como é que é general, né? cheio de mania...

PEIXOTO
(Balbuciando)

Gegegeneral?!!! Você é filha de general?

DENÍLSON
É ela que tava na churrascaria com o general, sem calcinha...

PEIXOTO
O general tava sem calcinha?

WLADIMIR
(Para Lucy)

Vem, cá! Peraí, como é que você traz a gente assim, para o covil do inimigo?

LUCY
Calma, broto! Os velhos não vêm aqui há um tempão... não vai ser justo agora que eles vão dar as caras por aqui, né?

CENA 36
EXT. ESTRADA / CARRO MIRANDINHA - DIA

Mirandinha e Dolores estão no carro dele. Dolores dirige.

DOLORES
Mirandinha, você é um débil mental. A gente não tinha nada que vir pro sítio numa hora dessa! Você tinha que ficar lá, investigando o roubo da taça!

MIRANDINHA
Ah, Dodozinha, já faz tanto tempo que eu não vejo minhas roseiras, as minhas galinhas... me deu saudade...

DOLORES
Não foi para regar roseiras e nem cuidar de galinhas que nós fizemos a revolução! Miranda Imbyrussu, você não é um general, você é a vergonha do Exército brasileiro!

MIRANDINHA
Dolores, eu entrei pro Exército foi pra ter uma vida calma, pra ficar caiando árvore, desfilar no 7 de Setembro... Agora que inventaram esse negócio de ditadura, de ficar correndo atrás de comunista. Comunista é muito arisco, é tudo menino novo...

CENA 37
INT. CASA DE CAMPO / SALA - DIA

Os três, mais Lucy, estão na sala da casa.

WLADIMIR
Companheiros! Não temos tempo a perder! A taça do mundo é nossa! A ditadura está em nossas mãos! Viva o MRV! Movimento Revolucionário do Vladimir!

DENÍLSON
Ah, não! Corta essa, bicho. A gente já falou mais de mil vezes que não gostou desse nome, cara... tu tá forçando a barra... parô, falô?!!

PEIXOTO
É isso aí, bicho... vamos escolher o nome da nossa banda, quer dizer... do nosso bando terrorista, morou? Agora! Aqui e de comum acordo!

WLADIMIR
Ta! Tá bem... vamos fazer então uma assembléia...

Senta-se na cabeceira da mesa da sala, os outros sentam perto dele.

WLADIMIR (CONT'D)
(Wladimir fala para Lucy)

Você acaba de ser promovida de motorista da revolução para secretária da revolução! Vá providenciar papel e caneta!

LUCY
É pra já, companheiro!

Lucy pega umas folhas em branco e uma caneta Pilot.

WLADIMIR (CONT'D)
Muito bem... já que a militância não quis homenagear seu grande líder com o nome da organização... quem é o gênio aí que tem alguma idéia?

À medida que eles vão sugerindo os nomes, Lucy escreve cada letra da sigla no papel em branco. Com letras bem grandes.

DENÍLSON
Eh... eu tava pensando em algo tipo... Partido... Integral... Radical... Orgânico... Comunitário.

LUCY
(Mostrando o papel com a sigla P.I.R.O.C.)

Chocante! Adorei esse nome!

WLADIMIR
Não! Esse nome não! Quem é que vai querer entrar no PIROC?!!

LUCY
Eu acharia ótimo...

Denílson e Peixoto olham gulosos para ela. Wladimir retoma as rédeas da situação.

WLADIMIR
Você só pensa em safadeza! Revolução é coisa séria, companheira! Escreve aí! Movimento... Esquerdista... dos Trabalhadores de Esquerda!

Lucy mostra a sigla: M.E.T.E. Wladimir fica sem graça e já sugere outro.

LUCY
Legal! Mete!

WLADIMIR

Peraí, esse não! Esse, não! Tenho outra idéia aqui. Comando... Humanista... Unificado... do Proletariado Anarquista!!

Lucy mostra a sigla: C.H.U.P.A. Wladimir fica mais sem graça ainda e emenda:

LUCY
Gostei! Chupa!

WLADIMIR
Me dá isso aqui!

Pega o papel e a caneta dela.

WLADIMIR (CONT'D)
Deixa que eu escrevo!

Começa a escrever.

WLADIMIR (CONT'D)
Partido... Anarco... Nacionalista...

DENÍLSON
(Interrompe)

Peraí, bicho, tu tem a maior mania de fazer tudo sozinho... o nome é de todo mundo... bota uma causa minha... bota anticarnívoro.

PEIXOTO
Que é que tem de meu nesse nome aí?

WLADIMIR
Tá bom! Tá bom! Bota Carlos, pronto! Fica: Partido Anarco Nacionalista Anticarnívoro Carlos! Todo mundo de acordo?

PEIXOTO
É, o Carlos é bom...

Denílson e Peixoto se mostram satisfeitos. Eles levantam da mesa e se cumprimentam.

Lucy pega o papel que Wladimir tinha escrito e vê o nome do novo partido e, bem grande, a sigla: P.A.N.A.C.

LUCY
PANAC, nossa, esse nome tá demais. Realmente, é a cara de vocês!

CENA 38
EXT. CASA DE CAMPO / CARRO MIRANDINHA - DIA

O carro do general Mirandinha chega à casa de campo. Dolores percebe o carro de Lucy.

DOLORES
Olha, lá! O que é que o carro da Lucy Ellen tá fazendo aqui? Alguma coisa não tá cheirando bem...

MIRANDINHA
Ah, querida, fui eu. Desculpa, são os meus gases, né? Sabe como é... esses solavancos da viagem... (Áudio de peido) Foi mal.

CENA 39
INT. CASA DE CAMPO / SALA - DIA

Nossos terroristas percebem a chegada do auto e ficam em pânico.

LUCY
(Olhando pela janela)

Ai, meu Deus! Meu pai e minha mãe! Sujou! A gente tá perdido!

WLADIMIR
(Olha pela janela também)

Calma, companheira! Seu pai ainda não teve tempo de chamar as forças repressivas da repressão...

LUCY
Tô pouco me lixando para as forças da repressão... eu tô morrendo de medo é da minha mãe... se ela me pega aqui com homem, ela me mata, ela mata todo mundo!

Todos ficam em pânico. Tentam se esconder. Botam uma mesa na porta. A câmera mostra que, em cima de um sofá, uma mochila está aberta, com metade da Jules Rimet para fora.

PEIXOTO
A taça! A taça!

CENA 40
EXT. CASA DE CAMPO - DIA

Dolores e Mirandinha estão na porta. Através da janela, eles vêem a silhueta de um ou mais terroristas de pé. A silhueta de Lucy se aproxima e se ajoelha, dando a impressão de que vai pagar um boquete.

DOLORES
Anda logo com essa chave, Mirandinha! Eu preciso abrir essa porta pra saber o que a minha filha tá fazendo aí dentro!

Mirandinha se atrapalha com as chaves.

MIRANDINHA
Calma, fofinha, não tô conseguindo...

DOLORES
Me dá essa chave, seu imbecil! Porcaria!

Dolores fica impaciente, arranca as chaves da mão dele e joga fora.

DOLORES (CONT'D)
Olha só, Mirandinha, você nunca serviu pra porcaria nenhuma mesmo, mas agora você vai servir pra alguma coisa! Vem cá, seu débil mental.

Ela usa o corpo rígido do Mirandinha como aríete. Dolores dá umas três porradas com a cabeça dele na porta e ela se abre. Momento de suspense. Acorde dramático.

CENA 41
INT. CASA DE CAMPO / SALA - DIA

Quando o mistério é revelado, vemos que nossos três terroristas estão "disfarçados" de jovens padres. Eles usam paletós pretos catados por ali, todos mal-ajambrados neles, sendo óbvio que Lucy pegou roupas do pai, o colarinho de padre deles é feito com as folhas de papel branco que estavam na mesa. Lucy está ajoelhada rezando em frente a eles.

DOLORES
Lucy Ellen!

LUCY
(Disfarçando o nervosismo, ainda como se estivesse rezando)

Mamãe, que surpresa boa! Eu estava, justamente, falando da senhora, aqui para os padres...

DOLORES
(Desconfiada)

Lucy Ellen?! Você com padres?! Você não vai nem à missa!

LUCY
Pois, é mamãe... mas nunca é tarde para encontrar a palavra de Deus. Eu vim aqui pra meditar... aí esses três reverendos estavam, justamente, passando aqui pela região, espalhando a mensagem de Jesus...

MIRANDINHA
Que coincidência maravilhosa, né minha filha?

DOLORES
(Ainda desconfiada)

Muita coincidência, parece até milagre...

LUCY
Então, mãe! Se é milagre, tem a ver com religião... Não era a senhora que sempre quis que eu trilhasse os caminhos da fé?

MIRANDINHA
É Dodozinha... pára de implicar com a menina...

(Pegando a mão de Denílson)
A bênção, padre...

PEIXOTO
Deus te abençoe, bicho...

DOLORES
(Estranhando mais)

Hummm... Quer dizer, então, que os senhores são padres? Então...

(Chega perto de Wladimir)
Poderão me responder a uma perguntinha...

Wladimir, meio nervoso, faz cara de padre.

DOLORES (CONT'D)
Onde nasceu Nosso Senhor, o Salvador?

Wladimir pensa. Esforça-se para lembrar, uma gota de suor desce por sua testa. Depois de pausa necessária para criar expectativa, ele responde:

WLADIMIR
É... eh... Cuba?!

DOLORES
Cuba! Cuba!!!!!!

(Ela acua o trio, apontando acusadora para eles)

Ah, eu sabia que tinha algo estranho aqui!!!

WLADIMIR
Peraí, peraí! Moscou??

DOLORES
Moscou!!!

Dolores os encurrala em um canto qualquer.

DENÍLSON
Irmãos... vamos embora... temos que levar a palavra de Deus para outras ovelhas do nosso rebanho, bicho...

PEIXOTO
Podes crer, amém...

Ele pega a mochila para irem saindo; na pressa, não percebe que ela estava aberta. A taça cai no chão. Todos olham para a taça.

DOLORES
Mirandinha! A taça! Mirandinha!

Dolores pega a taça no chão. Imediatamente, Denílson arranca-a da mão da megera. Explode uma bomba fora da casa, quebrando uma vidraça.

CENA 42
EXT. CASA DE CAMPO – DIA

Tropas do Exército cercam a casa. Manso grita por um megafone.

MANSO
Vocês estão cercados! Não adianta tentar reagir! Entreguem a taça e suicidem-se, não necessariamente nesta ordem!

Mirandinha vê um tanque esmagando parte do seu roseiral. Ele olha para o galinheiro um segundo antes de uma bomba explodi-lo. Muita fumaça, penas, ovos e frangos assados voando.

MIRANDINHA
(Chorando, emocionado)

Eles destruíram minhas roseiras, mataram as minhas galinhas... será que eles não têm limites?? Onde é que essa revolução vai parar?

DOLORES
Engole esse choro! Deixa de ser molóide, você sabe muito bem que não se pode fazer uma revolução sem quebrar alguns ovos.

Um ovo, oriundo da explosão, vem voando e se espatifa na cara de Dolores. Irritada, ela pega duas pistolas.

DOLORES (CONT'D)
(Atirando e falando pela janela)

Ah, não adianta, Manso, quem encontrou a taça foi o meu marido! O general Miranda Imbyrussu do Exército brasileiro!

Corta para o Manso. Ao seu lado, alguns soldados são atingidos pelos tiros. Manso permanece impassível, sabendo que ninguém dá tiro em general.

MANSO
Ha, ha, ha! O Mirandinha é um songamonga. Ele não consegue achar nem o caminho de casa!

Volta para Dolores. Agora ela está de capacete, com uma metralhadora com um enorme pente de balas. Quando ela vai para a janela, vemos atrás os quatro terroristas se esgueirando, fugindo.

DOLORES
Pois é o meu Mirandinha que vai ser promovido! Ele é que vai ser presidente da República!

Corta para Manso. Ao seu lado vários soldados são atingidos pelas rajadas.

MANSO
Mirandinha presidente? Só se for do Clube dos Aposentados Brochas da Reserva! Ha, ha, ha!

Volta para Dolores, que agora está de uniforme de camuflagem, com pintura de Rambo e aquela faixa na testa. Agora com dois pentes de metralhadora cruzados. Ela tira uma enorme bazuca.

DOLORES
Brocha, sim, mas brocha presidente da República!

(Dá um tiro de bazuca)

Corta para Manso. Ao lado dele, um grupo de soldados voa pelos ares.

MANSO
(Fala para um tenente ao seu lado)

Uma coisa: tenho que admitir, tenente, essa Dolores é uma mulher admirável!

O tenente é jogado longe para o ar por mais um tiro de bazuca. Vemos o grupo passar fugindo, atrás de Manso. Cada um deles segura um soldado baleado para se proteger.

CENA 43
INT. APARELHO – DIA

Um CORRETOR abrindo a porta do apartamento, para nossos TERRORISTAS entrarem.

CORRETOR
Por isso que eu gosto de trabalhar com comunista, vocês são sempre pontuais. Olha só, esse aparelho é exatamente o que vocês pediram. Escondido, privacidade total. Já foi cativeiro de vários seqüestrados. Um dos aparelhos mais requisitados do Rio de Janeiro.

DENÍLSON
Isso aqui tá caidaço. Não tem nenhum aparelho melhor, não?

CORRETOR
(Mostrando fotos num álbum)

Nós temos todos os tipos de aparelho, para qualquer tendência de grupo de esquerda. Por exemplo, esquerda festiva: olha só que mansão maravilhosa. Com piscina, um salão enorme.

(FOTO)
Se vocês forem da linha maoísta, olha só que maravilha esse aparelho, bem ao lado de um restaurante chinês.

PEIXOTO
Sabe o que é, bicho, é que a gente tá meio sem grana...

CORRETOR
Pô, mas comunista vive chorando miséria! Cadê o ouro de Moscou? Assalta um banco, porra!

WLADIMIR
Companheiro, você não está entendendo. A gente quer uma coisa bem baratinha, assim quase de grátis.

CORRETOR
Ih, aparelho pra pobre não tem não, entendeu? O mercado tá superaquecido. São centenas de organizações clandestinas e elas racham todo dia. A demanda é enorme! O aparelho mais baratinho que eu tenho é esse aqui mesmo!

Entra em cena o nosso guerrilheiro FUMANDO GABEIRA, como quem está vindo do quarto, com o EMBAIXADOR AMERICANO amarrado e amordaçado. Ele entrega um molho de chaves para o corretor.

DENÍLSON
Bicho! Quem são esses caras?

CORRETOR
Calma, esse é o antigo inquilino, mas tá entregando o aparelho hoje mesmo.

FUMANDO GABEIRA
Aí, companheiros, eu tô devolvendo esse embaixador americano, não vou mais precisar do aparelho. Está aqui a chave...

Ele entrega a chave.

CORRETOR
E o contrato?

Ele apalpa os bolsos, procurando o contrato.

FUMANDO GABEIRA
Ih, fumei o contrato! Foi mal, hein?

Wladimir pega a chave.

DENÍLSON
Esse cara é um mané! Não deixou nem uma pontinha do contrato pra eu fumar!

WLADIMIR
Meu amigo, então a gente vai ficar com esse aparelho mesmo. Agora você dá licença que a gente tem um monte de coisa pra resolver aqui (botando o corretor pra fora e fechando a porta).

CORRETOR
Parabéns pelo aparelho. Feliz revolução pra vocês! Agora, quando tomar o poder, não esqueça do papai aqui, né?

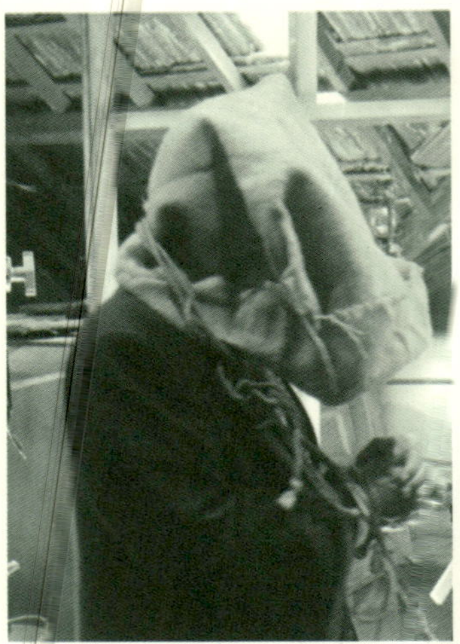

CENA 44
INT. DISCOTECA MILITARES / SALA PRIVÊ - NOITE

Câmera percorre a festa e mostra que num canto há um quiosque do SNI. Estilo de quiosques de venda de celular. Dentro estão ALGUMAS MOÇAS atendendo telefones. No quiosque vemos a placa: "SERVIÇO NACIONAL DE INFORMAÇÃO".

ATENDENTE
SNI, Serviço Nacional de Informação, pois não? Sim, senhor, damos qualquer informação. Previsão do tempo? Tempo bom, sujeito a pancadas. É só entregar o sujeito que a gente dá as pancadas...

Câmera percorre a festa até chegar ao reservado dos oficiais, onde está acontecendo... uma reunião do alto comando.

CENA 45

INT. DISCOTECA MILITARES / SALA PRIVÊ - NOITE

Vários GENERAIS estão reunidos com Manso. A câmera vai percorrendo os generais, começando por um que tem apenas três estrelas, passa por outro com quatro estrelas e continua passando por outros generais, com mais estrelas e mais medalhas no peito. As ombreiras com as estrelas vão ficando cada vez maiores, até chegar na cabeceira da mesa, onde vemos o general Manso que tem uma ombreira de 20 estrelas, muito maior do que as outras. Ele fuma um charuto.

Na mesa, uma maquete de um cenário de guerra.

MANSO
Senhores, tenho informações de que os terroristas se encontram exatamente neste ponto. Nossas tropas devem se deslocar por este flanco...

Ele pega uns soldadinhos de chumbo e avança pelo flanco, imitando o barulho da tropa...

MANSO (CONT'D)
Dumpdump, dumpdump! Com o apoio dos tanques, que vêm pela retaguarda. Vrrrrrrrrr... bum!

GENERAL 1
General, acho melhor atacarmos com o esquadrão aéreo e os pára-quedistas!

Ele pega um avião e vai soltando pára-quedistas pela mesa.

GENERAL 1 (CONT'D)
Tchuf, tchuf, roiiimmmm...

GENERAL 2
Isso! Eu venho em seguida com os meus caças Phantom F5 que são equipados com metralhadoras Spiegel 50 mm: vrummmmm, kabummmmm.

GENERAL 1
Nada de caça! Tem que ser com meus pára-quedistas!

MANSO

Eh! Gostei dos pára-quedistas que fazem tchum tchoff. Vamos atacar com os pára-quedistas.

GENERAL 2

(Fazendo bico, como criança)

Puxa vida! Ninguém quer saber dos meus caças-bombardeiros! Olha só: acendem luzinhas, têm bombas e fazem barulho.

Ele acende a luz de cima do avião.

GENERAL MANSO

É, você tem razão... tá bom, vamos atacar com os caças das luzinhas!

CENA 46

INT. APARELHO / SALA - DIA

PEIXOTO

Pô, bicho! Primeiro aparelho! Tô emocionado...

DENÍLSON

Eu também tô arrepiado, morou?

(Mostra os pelinhos)

LUCY

Ai, que bonitinho, tão emocionados! Ah, então enquanto vocês ficam aí arrepiadinhos, eu vou ali dentro porque eu tenho uma coisa muito importante para resolver aqui com o Wladimir...

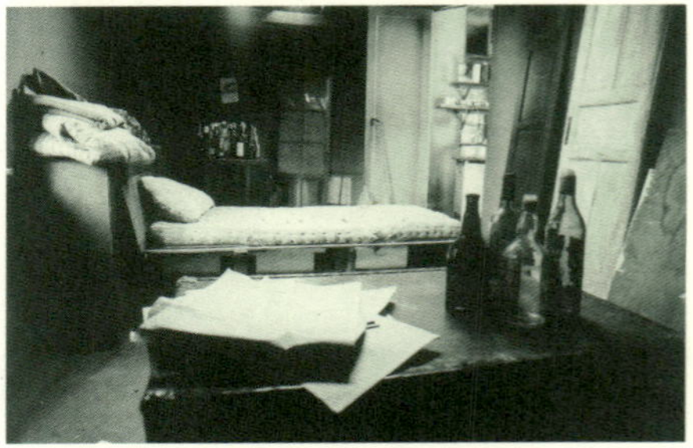

CENA 47

INT. APARELHO / QUARTO - DIA

Lucy arrasta Wladimir para o quarto. Áudio de música de sacanagem romântica da época (*Je T'aime* ou similar)

LUCY

(Abraçando Wladimir e tirando os óculos dele)

Ah! Wladimir! Aí, broto, eu quero abraçar a causa de vocês. Eu preciso me juntar à vida revolucionária. Eu faço qualquer coisa!

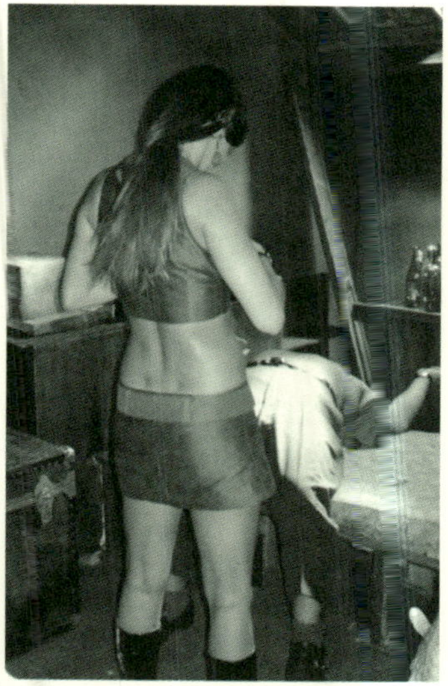

Ela abre a blusa. Ele se aproxima, sem enxergar.

WLADIMIR
(Fechando a blusa dela)

Não, Lucy, você tem que entender... a vida revolucionária é muito dura.

LUCY
(Abrindo a blusa de novo)

Dura? Mas é disso mesmo que eu gosto...

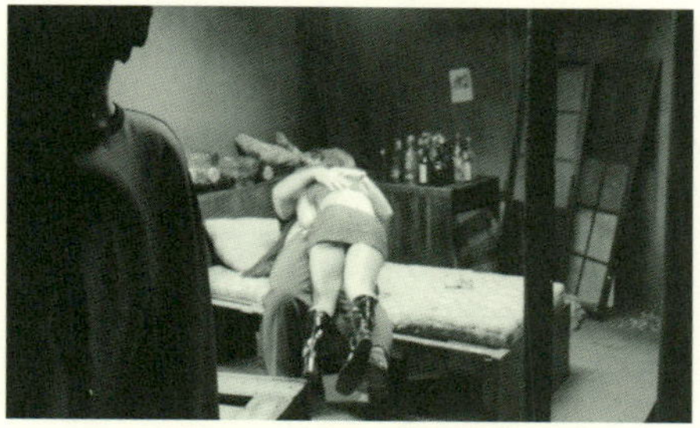

WLADIMIR
Calma, Lucy, pense na nossa luta. Fidel e Che passaram cinco anos na Sierra Maestra, sem fazer sexo.

LUCY
É mesmo? Eu nem sabia que eles tinham um caso. Ai, meu revolucionário!

Os dois caem agarrados na cama e começam a se amassar. Julieta entra carregando um casaquinho.

JULIETA
Frederico Eugênio!

WLADIMIR
(Bota os óculos)

Mamãe? Você aqui?

JULIETA
Ô, meu filho, você deixou a porta do aparelho aberta! Se a ditadura entra aqui e pega você sem camisa! Você vai acabar pegando um resfriado. Bota o casaquinho, meu filho.

Julieta vai botando o casaquinho nele e puxa a bochecha como se fosse um neném.

JULIETA (CONT'D)
Bizinguzinho da mamãe! Fica bonitinho aí, que amanhã a mamãe volta com um bolinho, tá?

Julieta sai.

LUCY
(Emburrada)

Aí, vai ter que decidir, viu? Ou fica comigo ou fica com mamãezinha, com casaquinho, bolinho...

WLADIMIR
(Pensando)

Peraí, Lucy, você tá sendo muito radical. Você já provou o bolinho da minha mãe?

Lucy levanta injuriada e vai saindo do quarto.

LUCY
Mas tu é muito bundão mesmo, hein? Vou dar pro primeiro que aparecer na minha frente!

Ela vai se dirigir para dentro da casa, e encontra Peixoto escutando atrás da porta.

PEIXOTO
Oiiiii!

LUCY
Quer dizer, eu vou dar para o segundo que aparecer!

Denílson aparece, alegre.

DENÍLSON
E aí, beleza?

LUCY
Bom... Do terceiro não passa!

ÁUDIO: COCORICÓ DE GALINHA.

sítio dolores e mirandinha

cenas 35 a 42

HELIO – Difícil foi o primeiro dia de filmagem no sítio de Dolores e Mirandinha. Tinha chovido muito no dia anterior e todos os caminhos pra Guaratiba estavam fechados. Em cada lugar que a gente tentava passar, tinha uma barreira caída.

HUBERT – Andamos pela Zona Oeste toda, só conseguimos chegar por Santa Cruz.

HELIO – Uma verdadeira aula de geografia do Rio de Janeiro!

REINALDO – O mais difícil do cinema é esperar.

CLAUDIO – No dia da minha primeira cena, me pegaram às quatro e meia da manhã. Fui o primeirão e só tinha que dizer a última fala do dia. Fomos pra Ilha de Guaratiba, um lugar looonge! Chegando lá, ficamos horas trancados num *trailer*...

REINALDO – E trancados num *trailer* com o Marcelo Madureira!

CLAUDIO – Fui dar meu primeiro oi em cena às quatro da tarde. Fiquei irritado, tive que me segurar pra não transparecer em cena que eu estava com o saco na lua!

REINALDO – Prestem atenção, portanto, na cena do tiroteio no sítio do general Mirandinha pra ver se isso se refletiu na atuação de Claudio Manoel.

CLAUDIO – Mas é uma cena onde o Mirandinha chora...

REINALDO – Ah, então você aproveitou o seu sentimento real pra dar vida ao personagem! Isso é um grande ator!

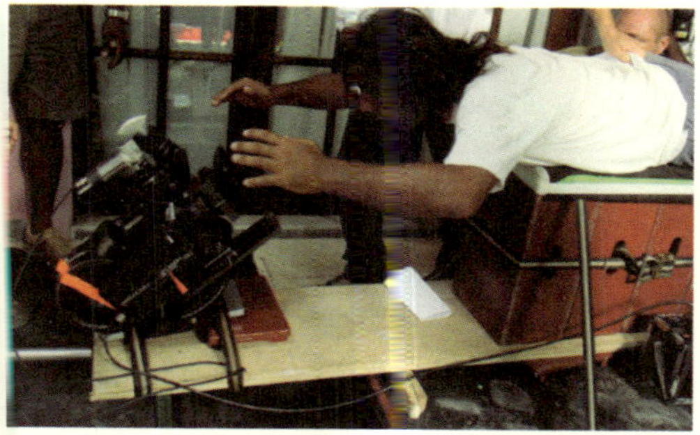

O câmera Gustavo Hadba marca a posição da câmera com toda a experiência adquirida no cinema pornô.

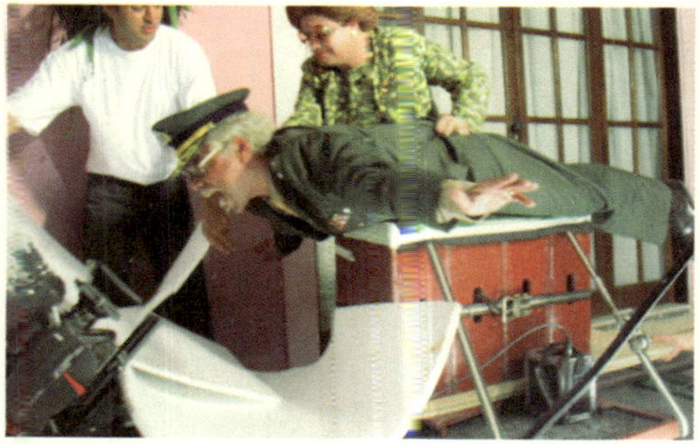

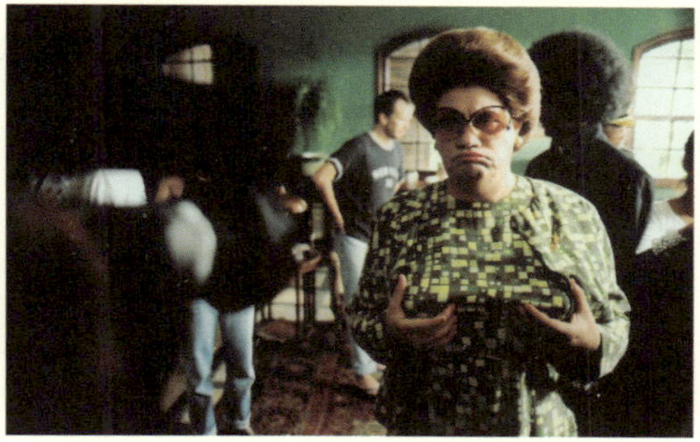

– DEFENDA SEU PERSONAGEM: O QUE A LUCY ELLEN, COM AQUELA EXUBERÂNCIA TODA, VÊ NO PANACA DO WLADIMIR?

BUSSUNDA – Ela gosta de homens ousados! O problema é que, diante das mulheres, ele fica trêmulo, fala fino, tem sérias dificuldades nessa área. É uma homenagem a algumas pessoas que conheci. Na hora de liderar a galera, falar contra a ditadura, os caras eram machos pra cacete, mas na hora de ficar com uma mulher, morriam de medo.

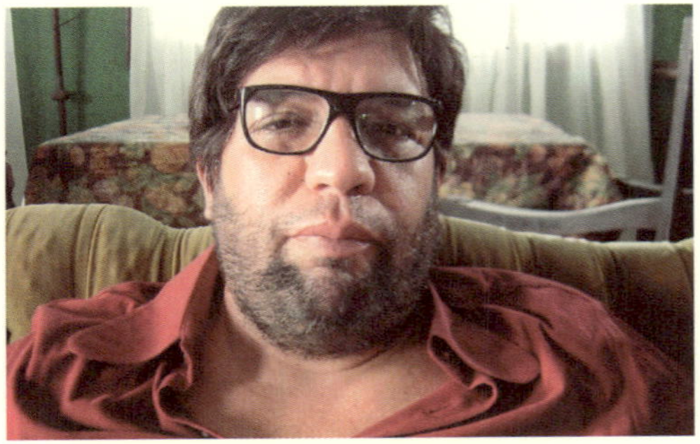

Mesmo na frente de toda a equipe, o general não nega fogo.

Truculento e boçal o general Manso tenta impedir o trabalho da imprensa durante as filmagens.

Dolores, a Lacerda de saias,
é uma megera que esbanja
charme e sensualidade até mesmo
utilizando armamentos pesados.

As flores e o dinheiro utilizado para pagar a produção do filme são rigorosamente falsos.

aparelho

cena 43

BETO – Aqui eu faço um corretor que oferece ao grupo terrorista um aparelho – um muquifo fudido – onde acabam ficando. Ele é um especialista em imóveis para grupos de esquerda, tem modelos de aparelhos para maoístas, outros para a esquerda festiva, todos os tipos.

O dublê de sambista e corretor de imóveis Agepê voltou do além especialmente para participar do nosso filme.

— HERBERT, VOCÊ SE RECUSOU A CONTRACENAR COM UM RATO, ALEGANDO QUE ELE NÃO ERA UM ATOR À SUA ALTURA.

HUBERT – O rato realmente estava meio apagado, meio morto em cena... mas depois eu e ele ficamos amigos. Saímos depois das gravações para conversar. O rato foi muito generoso.

HELIO – Hubert é o cara que tem mais dublês no filme.

HUBERT – Tem o dublê do Roberto Carlos, o do Peixoto Carlos e o do Gabeira. Mas era sempre o mesmo ator.

HELIO – Ele só não topou dublar o soldado Ryan quando ele foi pro pau-de-arara, digo, pro pau do Arara.

Denílson desconfia que este não é o Humbold, e sim Humphrey, sósia do Herbert.

sala de comando SNI

cenas 44 e 45

O Alto Comando de Casseta & Planeta continua unido e coeso em torno dos mesmo ideais.

– E QUAL FOI A CENA MAIS ENGRAÇADA QUE VOCÊ FILMOU?

BETO – Sem dúvida nenhuma, aquela onde os generais estão planejando seu ataque. Para explicar o plano, começam a brincar com soldadinhos, aviões de brinquedo... Na hora que o Reinaldo pegou um aviãozinho pra mostrar como seria o salto dos pára-quedistas, ele se empolgou e começou a fazer "tchof!, tchof", e aí todo mundo ficou fazendo esses barulhos. Parecia um bando de meninos brincando de soldadinho.

MARCELO – A minha mulher, quando viu o filme, falou: "Mas só tem personagens idiotas!" Realmente, só tinha idiotas, tanto na esquerda quanto na direita. O filme não chega a ser uma crítica, é uma provocação humorística.

wladimir e lucy

cena 47

— VAMOS AO QUE INTERESSA: FALE DA CENA MAIS CALIENTE.

MARIA PAULA – Foi aquela em que eu mostrava os peitos para o Bussunda. Claro, foi uma mostrada de peito técnica. Exigi que todas as pessoas – menos o Bussunda – ficassem de costas. Só ele viu. Eu ficava olhando pra cara dele, ele começava a errar! Pensei: "Pô, esse cara tá se aproveitando!"

TRECHO DA ENTREVISTA CONCEDIDA POR BUSSUNDA AO CAHIERS DU CINÉMA

– COMO FOI CONTRACENAR COM OS PEITOS DA MARIA PAULA?

BUSSUNDA_ Bem, no princípio eu fiquei um pouco intimidado, afinal de contas, eles eram dois! Mas eles foram de uma... de uma... de uma grandeza impressionante!

– E FOI MUITO DIFÍCIL FAZER ESSA CENA?

BUSSUNDA_ Olha, fazer a cena até que foi fácil, os problemas vieram depois. Criei uma certa dependência e tive que pedir à Maria Paula que me mostrasse um pouquinho cada dia, pra ir largando aos poucos. Mas ela não foi muito generosa...

LULA_ Bussunda tava muito ansioso pra ser currado pela Maria Paula. Ela estava linda, exuberante, uma verdadeira revolucionária.

BUSSUNDA_ Tinha outra idéia ali que acabamos não fazendo: Lucy Ellen tira os óculos do Wladimir. Então mostraríamos os peitos da Maria Paula segundo a visão do Wladimir - tudo embaçado.

HELIO_ A cena da Lucy Ellen de que mais gosto é aquela onde ela vai dar pro primeiro que aparecer, depois pro segundo que aparecer, depois pro terceiro que aparecer... É uma cena baseada em fatos reais. Não aconteceu com Maria Paula, mas com uma pessoa da equipe cujo nome prefiro não revelar.

– ELE ERA O PRIMEIRO, O SEGUNDO OU O TERCEIRO?

HELIO_ Nenhum destes. Ele era o marido.

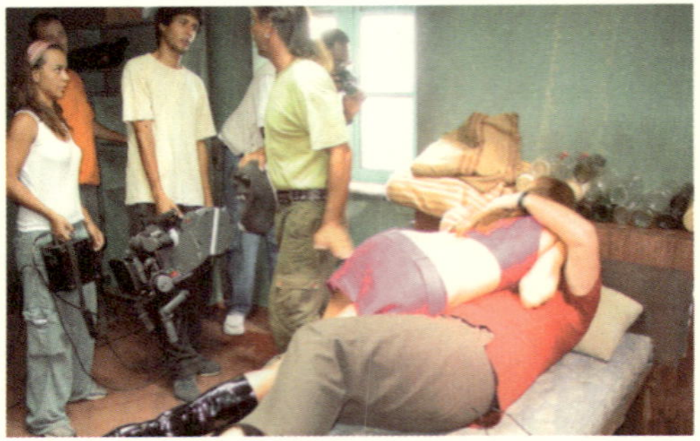

CENA 48

EXT. RUA / CASA MIRANDINHA – DIA

Mirandinha passeia com uma galinha na coleira.

MIRANDINHA
(Bota uma espiga de milho para a galinha cheirar e joga longe)

Vem, Ximbica! Vamos passear. Vem, Ximbiquinha, vamos passear, menina. Passear com o papai. Pega! Pega, vai! Ximbiquinha, bonitinha...

(Soltando a coleira)
Mirandinha leva uma pedrada na cabeça. Pega a pedra, que traz um bilhete amarrado. Abre o bilhete.

LUCY (OFF)
Papai, aderi à causa da revolução proletária! Aguarde novas informações.

MIRANDINHA
(Parando de ler, como se estivesse falando com Lucy)

Minha filha com os comunistas! Ih, cacete, como é que eu vou falar isso pra Dolores?

Cai na cabeça dele uma caixa de sapato.

Mirandinha abre a caixa e vemos outro bilhete e um pedaço da asa da Jules Rimet, a partir de agora chamada de orelha. Mirandinha abre o bilhete e ouve agora a voz de Wladimir.

WLADIMIR (OFF)
Não estamos de brincadeira! Esta é a orelha da Taça Jules Rimet. Se vocês não colaborarem, não vai sobrar nada!

MIRANDINHA
(Pensando alto)

Mas como é que eu posso ter certeza de que essa orelha é verdadeira?

WLADIMIR (OFF)
É simples. É só você estar hoje, às cinco horas da tarde, no Maracanã.

MIRANDINHA
Sei, sei...

WLADIMIR (OFF)
Então venha sozinho. Se você não vier sozinho, nós vamos derreter sua filha e engravidar a taça! Quer dizer... sei lá! Ah, você entendeu, né?

CENA 49

EXT. MARACANÃ / ESTÁTUA - DIA

Nosso grupo guerrilheiro tenta se esconder atrás de uma pequena moita ao lado da estátua.

LUCY
(Olhando o relógio)

Gente, vocês não marcaram às cinco horas? São cinco e um, papai não vem mais. Podem começar a me engravidar!

(Começa a tirar a blusa)
Chega Mirandinha.

MIRANDINHA

Ai, meu Deus do céu! Lucy Ellen, você tá mesmo com esses comunistas? Pelo menos você tá usando calcinha, menina?

LUCY
Tô, papai.

MIRANDINHA
(Aliviado)

Opa! Que alívio, tá de calcinha! Ufa...

LUCY
Não, papai. Tô com os comunistas!

WLADIMIR
(Puto)

Chega dessa pieguice pequeno-burguesa! Nós estamos com a Taça Jules Rimet. Só devolveremos esse símbolo da ditadura se cumprirem as nossas exigências!!!

MIRANDINHA
Vocês, comunistas, são muito estressados... Antes de mais nada, eu preciso ter certeza que vocês estão mesmo com a taça... Como é que eu vou ter certeza que esta orelha é mesmo da Jules Rimet? Pode ser qualquer taça, Taça Guanabara, Taça Libertadores...

Wladimir então puxa a taça sem orelha de sua mochila e mostra a todos.

WLADIMIR
A prova tá aqui, ó! Olha aqui a Taça Jules Rimet!

Nesse instante ouve-se uma explosão.

IMAGEM ABRE PARA REVELAR
A chegada do Manso em seu veículo militar, com sua tropa fortemente armada, mandando bala pra tudo que é lado.

MANSO
Atenção, comunistas! Vocês estão cercados! Você aí, com a taça na mão! Entregue a taça e se suicide, não necessariamente nessa ordem!

Close no rosto da estátua do Belini. Os olhos ganham vida, olham assustados na direção da taça que ela segura e do general Manso. Numa imagem mais aberta, vemos a estátua correndo para longe.

A tropa sai correndo atrás da estátua, deixando mais irritado o general Manso.

MANSO (CONT'D)
Pelotão! Volte imediatamente! Isso aí é uma estátua, seus idiotas! Os terroristas fugiram para o outro lado!

Vêem-se os terroristas correndo para o outro lado. Perto da base da estátua ficam Manso e Mirandinha. Um efeito mostra a base sem estátua.

MANSO (CONT'D)
Mirandinha, sua besta! Não fique aí parado. Vá chamar reforços!

MIRANDINHA
Chamar reforços? Já sei! Vou ligar pra Dolores!

Mirandinha sai de cena.

CENA 50
EXT. MUSEU DO ÍNDIO – DIA

Wladimir, Denilson, Peixoto e Lucy chegam até um local onde se vê a placa: MUSEU DO ÍNDIO. Eles entram.

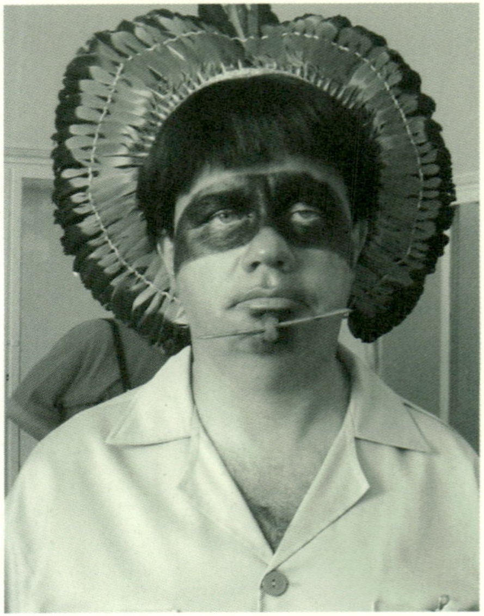

CENA 51
INT. MUSEU DO ÍNDIO – DIA

O museu indígena tem bonecos-manequins reproduzindo cenas da vida indígena, cheio de artefatos silvícolas. Um índio se aproxima.

JONATHAN
(Fala com jeito de índio)

Hau! Bem-vindo, museu de índio. Mim, índio Jonathan, vou ser guia de vocês.

PEIXOTO
Olha aí, bicho, quer dizer, bicho não, índio. A gente não tem cachaça não, tá?

JONATHAN
Índio Jonathan não qué água de fogo, não... Índio Jonathan quer ser guia de vocês. Não pode entrá bermuda, não pode tirá retrato e bolsa tem que ficá guarda-volume.

Ele segura a mochila da taça. Lucy tenta impedi-lo.

LUCY
Não, não, seu índio, a gente não tá com tempo de visitar o museu agora.

Eles vêem pela porta de entrada a chegada de Manso com sua tropa. Apavorada, Lucy aponta, soltando a mochila.

LUCY (CONT'D)
Olha lá!

PEIXOTO
Putzgrila! Tamos ferrados!... Eles acharam a gente!

CENA 52
INT. MUSEU DO ÍNDIO - DIA

Manso entra no museu, puxa a pistola e acende um charuto. Os soldados, em atitude de cobertura, apontam suas baionetas.

MANSO
Eles não podem estar longe daqui... Eu estou sentindo cheiro de comunista...

JONATHAN
Eles foram por ali.

MANSO
Obrigado pela informação, meu bom silvícola. Sargento, dá uma cachaça para ele.

Ele pára em frente a um cenário que reproduz uma cena de aldeia com estátuas de cera de índios. Nossos heróis estão misturados com as estátuas. Denílson está sem camisa, fumando um cachimbão de índio, ao lado de uma estátua de índio fumando. Lucy, sem roupa, coloca um espanador na cabeça, fazendo de conta que é um cocar. Wladimir, também sem camisa, engata atrás da estátua de uma índia que está de quatro, lavando roupa numa bacia. Eles estão imóveis em atitudes de rotina indígena. Peixoto usa aquela peça de madeira no lábio, igual à do Raoni. O general dá uma baforada e procura um cinzeiro. Nota o disco de madeira do lábio de Peixoto e começa a usá-lo como cinzeiro.

MANSO (CONT'D)
Quando eu pegar esses vagabundos, eu vou acabar com eles...

Peixoto sente dor por causa de uma cinza que escapa para sua boca, mas se contém a duras penas. Chega um SOLDADO usando óculos tipo intelectual.

SOLDADO
General, revistamos o museu inteiro e não encontramos ninguém, senhor. O museu está deserto, senhor. É lamentável, mas em nosso país ninguém vai aos museus, senhor, ninguém dá valor à cultura.

Irritado, Manso apaga o charuto no "cinzeiro" do Peixoto.

MANSO
Malditos! Escaparam de novo!

(Para a tropa)
Meia-volta volver, pelotão!

Os milicos vão embora. Peixoto rapidamente tosse e cospe o charuto, limpando a boca com cara de nojo. Os "índios" saem de suas posições de estátua e ajeitam suas juntas, doloridos.

LUCY
Caramba!

WLADIMIR
Pessoal, vamos pegar a taça e agradecer ao companheiro índio silvícola.
(Peixoto olha em volta, ainda segurando o lábio queimado)

PEIXOTO
(Fala com dificuldade)

Cadê o índio?

LUCY
E cadê a taça?

PEIXOTO
Ih! Olha lá a taça!

Peixoto aponta para um painel. Uma foto ampliada de uma aldeia indígena.

Eles se aproximam, junto com a câmera, até vermos no painel um totem de uma aldeia indígena (totem de índio americano). No alto do totem tem uma réplica exata da Jules Rimet sem a "orelha"! Câmera vai até mostrar o detalhe da taça. Ao lado do totem, vemos nosso índio, dançando com outros silvícolas.

DENÍLSON
Ih, os índios também foram tricampeões, bicho!

WLADIMIR
Que tricampeões, companheiro! Você não tá vendo? Os índios adoram um Deus que é igualzinho à Taça Jules Rimet!

LUCY
O índio roubou a gente, né? A gente nunca mais vai ver esta taça!

WLADIMIR
Peraí...

(Wladimir se aproxima e lê uma legenda no painel)
"Aldeia Papaxota, localizada à margem esquerda do rio Amazonas. Entrada no segundo igarapé após o semáforo."

Companheiros, vamos atrás do índio!

CENA 53
INT. AVIÃO I - DIA

O avião está em pleno vôo. Clima de tensão, típico de cenas de seqüestro: nossos terroristas se entreolham; sincronizam os relógios; apanham armas malocadas em partes do corpo e bagagem de mão... Só que tudo é filmado de um jeito que não se revelem os demais passageiros do vôo. De repente, os quatro se levantam e se aproximam da porta da cabine do PILOTO, onde está a aeromoça. Denílson pega uma colher no carrinho de serviço, dá uma gravata na aeromoça, encostando a colher no seu pescoço.

DENÍLSON
Não se mexa, bicho!

WLADIMIR
Companheira aeroviária, esta aeronave está sendo expropriada em nome da revolução!

Wladimir abre a porta da cabine de comando. Aponta a arma lá para dentro e grita:

WLADIMIR (CONT'D)
Companheiro piloto!! Nós somos revolucionários do PANAC e exigimos que este avião seja desviado imediatamente para o Amazonas!

PILOTO
Mas este avião já está indo para o Amazonas...

WLADIMIR
(Sem graça)

Ah, é?

PILOTO
É.

WLADIMIR
Bem, então... beleza. Tudo bem.

(Mudando o tom, apontando a arma)
Então nós exigimos dois refrigerantes para cada integrante do PANAC ou a gente explode este avião!

Eles vão para os seus lugares e vemos que absolutamente todos os passageiros são índios.

CENA 54

EXT. MARACANÃ / CERCANIAS - DIA

Noticiário de época. Um REPÓRTER está ao lado do "corpo" da estátua baleada e semicoberta por jornais, enquanto a tropa do Manso cerca o local.

REPÓRTER

Um fato muito estranho acaba de acontecer aqui nas imediações do estádio do Maracanã, no Rio de Janeiro. Uma estátua foi encontrada morta com mais de 40 tiros de metralhadora. Vamos tentar falar aqui com o general Manso, comandante da operação, para saber o que aconteceu.

MANSO

Lamentavelmente essa estátua se suicidou depois de sofrer uma profunda crise nervosa.

REPÓRTER

Mas general... suicídio? Com metralhadora?

MANSO

E qual é o problema? Cada um se suicida como quiser, nós estamos numa democracia.

REPÓRTER

Eh... tudo bem, general, é que eu nunca vi ninguém se suicidar com 40 tiros!

MANSO

Nunca viu? O problema da imprensa é a falta de informação.

(Chama soldado)

Soldado, mostra aqui pra esse reporterzinho como é que se suicida com 40 tiros de metralhadora!

Um soldado vai puxando o repórter pelo braço.

REPÓRTER

Peraí, que isso, calma, me solta...

Ouvimos uma rajada de metralhadora.

CENA 55

INT. TELA DE TV - NOITE

Através de um aparelho de TV vemos a imagem do ÂNCORA do telejornal em sua bancada.

CID

E atenção! Numa operação ousada, um perigoso grupo de subversivos acaba de seqüestrar um avião que ia para o Amazonas. A aeronave teve sua rota desviada para o... Amazonas.

(Olha pro lado estranhando)

Os terroristas foram identificados como integrantes do PANAC – Partido Anarco-Nacionalista Anticarnívoro Carlos.

(Ele olha pro lado)

Carlos? Por que Carlos?

Na tela, ao lado do Âncora, entra em *wipe* as fotos dos três (Wladimir, Peixoto e Denílson), uma por vez, com os respectivos nomes em legenda.

CENA 56

INT. CASA DE WLADIMIR / SALA JULIETA – NOITE

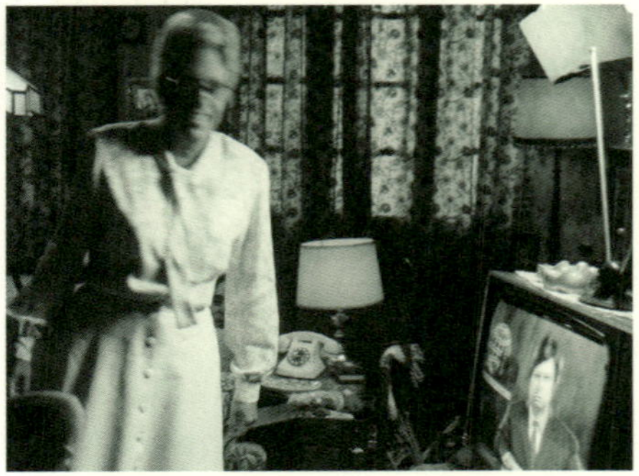

Julieta está sentada na sala vendo TV e fazendo tricô. Ela está fazendo um casaquinho. Julieta vê a foto do filho na TV.

JULIETA

Ai, meu São Salustiano... É o meu Frederico Eugênio! Ele foi lá pra Amazônia no meio daquele mato todo, daquela umidade, e não levou o casaquinho...

Julieta levanta, pega a bolsa, pega um casaquinho em cima de um móvel, guarda o casaquinho dentro da bolsa e sai.

CENA 57

INT. AVIÃO II – DIA

Dolores e Mirandinha estão dentro do avião, que está com a porta aberta. Ele vai pular de pára-quedas na selva amazônica. Mirandinha não está nada animado com a idéia de saltar de pára-quedas. Dolores faz a última inspeção no equipamento de Mirandinha. A cena se passa no interior do avião, mas vemos o ponto de vista do Mirandinha, quando ele olha para baixo, em *stock shot* da floresta amazônica.

DOLORES
Mirandinha, pula lá embaixo, prende aqueles subversivos e pega a taça. Você vai virar presidente da República e eu primeira-dama...

MIRANDINHA
(Com medo)

Mas Dolores, você tem certeza? Eu sozinho no meio da Amazônia, a floresta está cheia de animais ferozes: leões, tigres, rinocerontes...

Acende a luz verde anunciando o momento do salto.

DOLORES
Esses animais não são animais nacionalistas! Lá só tem onça, jacaré e cobras venenosas! Pode saltar! Desempaca!

Dolores empurra Mirandinha pela porta afora; ele dá um berro apavorado.

Dolores observa a queda de Mirandinha satisfeita e em seguida abre a porta do *cock pit*.

CENA 58
INT. AVIÃO II / CABINE DO PILOTO – DIA

A câmera mostra que o general Manso está pilotando o avião.

MANSO
E aí? Conseguiu se livrar do corno?

Dolores, sedutora, se aproxima de Manso.

DOLORES
Claro, meu general gostosão... Agora teremos todo o tempo do mundo só para fazer amor...

MANSO
Fazer amor?! Eu sou mau, eu sou muito mau. Eu sou mau pra cacete, um sujeito mau como eu não faz amor! Eu só faço sacanagem...

DOLORES
(Apaixonada)

Hummmmm... Mansão! Eu aposto que você diz isso pra todas...

CENA 59
EXT. FLORESTA AMAZÔNICA – DIA

Wladimir, Lucy, Denílson e Peixoto caminham pela floresta, perdidos, consultando mapas. Param. Olham em volta.

PEIXOTO
A gente nunca vai achar esses índios no meio desse mato.

DENÍLSON
Pô, a gente tinha que acabar com esse mato, aí. E se a gente fumasse a floresta?

Denílson pega um chumaço de folhas e vai enrolando para fazer um cigarro.

PEIXOTO
Aí, Denílson, vem cá. Vou te dar um toque, bicho. Tu tem que parar com esse teu vício, cara...

DENÍLSON
Que vício? De fumar?

PEIXOTO
Não, de dar a bunda! Rá! Rá! Rá! Sacaneei!

Todos riem da sacanagem, menos Denílson.

CENA 60
EXT. FLORESTA AMAZÔNICA / LOCAL PARADISÍACO – DIA

Julieta no meio do mato fazendo um tricô, sentada numa pedra, num local paradisíaco. De repente, o general Mirandinha cai de pára-quedas bem em cima dela.

MIRANDINHA

Ai, meu Deus! Me desculpa! Eu machuquei você?

JULIETA

Não foi nada, não! Eu devo ter quebrado só umas costelas ou uma clavícula. Mas é bom, né? Assim, pelo menos, a gente sai um pouco da rotina!

Os dois se olham ternamente, começa a pintar um clima de amor entre eles.

MIRANDINHA

Lindo casaquinho... A senhora faz um belo trabalho de tricô...

(Observa o trabalho de Julieta)

Dá pra senhora me ensinar esse ponto?

Os dois, romanticamente, começam a fazer tricô juntos.

JULIETA

(Encantada)

Claro! É assim, ó. Hum, que maravilha. Onde é que o senhor aprendeu a fazer tricô?

MIRANDINHA

No Exército. Eles ensinam um monte de coisas lá, sabia?... (Estende a mão e se apresenta) Miranda Imbyrussu, seu criado!

JULIETA

Julieta, prazer. Eu estou fazendo esse casaquinho pro meu filho.

(Abre a carteira e mostra uma foto do Wladimir neném, com barba e óculos)

Olha ele aqui, que gracinha, né? Mas o senhor imagina que ele está aqui no meio desta floresta, nesta umidade. Ele tem mania de sair sem casaquinho.

MIRANDINHA

Ah, é que nem minha menina. Lucy Ellen tem mania de sair sem calcinha... Essas crianças são todas iguais! Dão uma trabalheira danada!

JULIETA
Mas escuta aqui, seu Miranda. Além de tricô, o senhor faz o quê?

MIRANDINHA
Eu sou general. Estou no ramo de repressão e combate aos terroristas subversivos, mas eu tô doido para me aposentar. Eu me realizo mais na jardinagem, plantando minhas roseiras.

JULIETA
(Se empolga e deixa cair o tricô)
Rosas! Eu adoro rosas, seu Miranda!

MIRANDINHA
Pode me chamar de Mirandinha...

Os dois se abaixam para pegar o tricô, suas mãos se tocam, eles se olham, enrubescem. Sobe música romântica tipo *Love Story*.

CENA 61
EXT. FLORESTA AMAZÔNICA

Lucy, Denílson, Peixoto e Wladimir continuam a caminhar no meio da floresta.

LUCY
Ih, eu acho que a gente já passou por aqui....

WLADIMIR
Calma, companheira, vamos procurar no mapa

Wladimir abre o mapa, uma mão tira repentinamente o mapa de suas mãos.

ÍNDIO JONATHAN
(Como quem fala com neném)

Achoou!

Surgem índios por todos os lados, formando um círculo em volta deles. Os quatro os olham assustados. Música indígena, tambores, o clima é de tensão.

CENA 62
EXT. FLORESTA AMAZÔNICA – DIA

MANSO e DOLORES num jipão do Exército com bazuca, canhão e metralhadora no meio da floresta.

MANSO
Quando eu pegar aqueles comunistas eu vou arrancar cada fio de cabelo deles, depois vou esticar o saco e torcer até sair sangue!

DOLORES
(Encantada)

Ai, Manso, como você é romântico!

Carro avança floresta adentro com o casal se acariciando apaixonado.

CENA 63
EXT. ALDEIA DE ÍNDIOS – DIA

Nossos quatro heróis chegam à aldeia, levados como prisioneiros. No meio das tábuas, bem no centro da aldeia, há um totem, e na parte de cima dele está a Taça Jules Rimet, cultuada como uma deusa pelos índios. Os índios fazem um ritual em volta do totem. O índio do museu, Jonathan, é um deles.

JONATHAN
Bem-vindo à aldeia Papaxota... Não pode tirá foto, não pode entrá de bermuda... Isso aí tem que ficá no guarda-volumes.

O índio pega uma prancheta e começa a interrogá-los e a fazer anotações.

JONATHAN (CONT'D)
(Para Wladimir)

Nomes?

WLADIMIR
Wladimir.

LUCY

Lucy Ellen Imbyrussu.

PEIXOTO

Peixoto Carlos, mora?

DENÍLSON

Escuta aqui, seu índio, por que essa burocracia toda... Tu é da polícia, por acaso? Pra que você quer nossa ficha?

JONATHAN

Índio não quer ficha... Índio Jonathan tá escrevendo o cardápio...

Os índios se aproximam e apontam lanças.

PEIXOTO

Não adianta me espetar, bicho. Nada me fará entregar meus companheiros!

DENÍLSON

Tá doidão, Peixoto? Teus companheiros somos nós, tá todo mundo aqui, bicho!

Quando tudo parece perdido para nossos quatro terroristas, ouve-se um coro cantando *Guantanamera*.

VOZES

Guantanamera, guajira Guantanamera. Guantanameera. Guajira Guantanamera.

Aparece um grupo de GUERRILHEIROS CUBANOS comandado pelo nosso CHE GUEVARA. (C&P)

maracanã

cena 49

LULA – Nossos terroristas estão com a taça e marcam um encontro com o representante da ditadura em frente ao Maracanã. Então, no meio daquele cimento enorme, nossos heróis estão disfarçados numa moita verde. Achei que se tivesse alguém mijando, daria uma estranheza a mais quando a moita andasse. E quem está mijando na moita sou eu. Os caras me sacanearam o filme todo, eu tinha que sacanear eles alguma hora, né?

Aproveitando o tumulto das filmagens, um grupo de baderneiros rouba do Maracanã a estátua do Belini.

O pessoal da arte ensina o diretor a fazer xixi.

Lucy Ellen, a favorita do Exército.

museu do índio

cenas 50 a 52

– TEVE MUITA COISA IMPROVISADA NA HORA?

BETO – Muita! Uma fala minha que inventei na hora foi quando passo pelo índio Jonathan, no museu, e digo "Dá uma cachaça aí pro índio."

BUSSUNDA – A piada de oferecer cachaça para o índio foi um dos poucos cacos do filme. Após um mês de ensaios exaustivos, todos os cacos já haviam sido assimilados ao roteiro.

O dublê do humorista Bussunda aguarda ansioso a hora de entrar em cena.

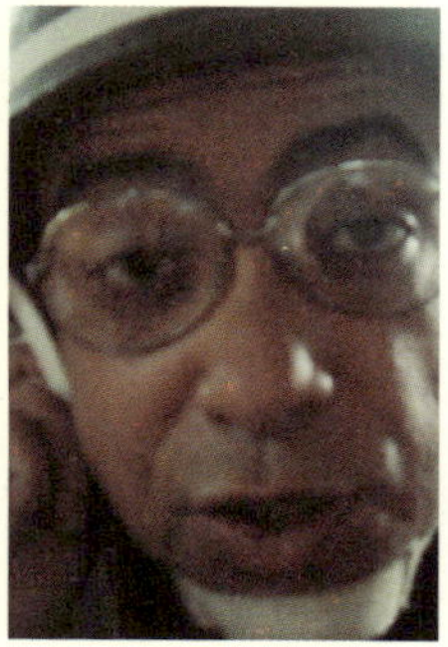

Quem disse que o pessoal do Casseta & Planeta não come ninguém?

Em exposição no Museu Aeroespacial, o avião de Casseta & Planeta.

aviões

cenas 53, 57 e 58

O serviço de bordo no Cinema Brasileiro deixa um pouco a desejar.

BETO – O beijo sensual de Manso e Dolores é um dos grandes momentos do filme. E não teve efeitos especiais. A perfeição daquele beijo foi resultado de dias e dias, ou melhor, noites e noites de ensaios, quando eu e Marcelo íamos aos motéis aperfeiçoar a nossa técnica. O laboratório é muito importante para o ator.

MARCELO – Na tórrida cena do beijo entre Dolores e o general Manso, Beto e eu performamos um beijo técnico de língua. Penetração linguopalatal. Beto ensaiou com seu professor de teatro. Eu, que sou um *performer*, prefiro a naturalidade do improviso.

perdidos na selva

cena 59

– QUAL FOI A CENA MAIS DIFÍCIL DE SER FEITA?

HELIO – É uma que passa muito rápido no filme, quando o grupo está perdido na Amazônia. Tivemos que atravessar correndo um tronco caído sobre um rio, na Floresta da Tijuca. Tinha chovido, o tronco tava escorregadio, e a gente de sapato, sem nenhuma proteção. Estava vendo a hora de ter que incluir umas cenas de hospital no roteiro para não perder semanas de filmagem.

BUSSUNDA – Aquilo foi um problema! Seria uma queda de três metros em cima de pedras! E eu tinha que usar aqueles óculos fundo de garrafa, não via nada! Tive que lembrar onde eu tinha posto os pés nos ensaios.

julieta e mirandinha
cena 60

CLAUDIO – Essa é a única cena verdadeiramente romântica! As outras são meramente carnais. O nosso amor é vitoriano.

REINALDO – O público, quando sair do cinema, estará satisfeito por ver que, pelo menos, dois personagens se amam verdadeiramente e que foram feitos um para o outro.

aldeia papaxota

cenas 61 a 71

REINALDO – A cena mais engraçada de todas ocorreu extrafilme. As cenas da aldeia indígena foram filmadas na Floresta da Tijuca e ficava uma porrada de figurantes vestidos de índio. Nos intervalos das filmagens, eles ficavam perambulando pela mata. Aí, apareceu um grupo de turistas visitando a floresta. Quando eles viram aquela porrada de figurantes silvícolas, levaram um susto e saíram correndo!

Na aldeia dos índios Papaxota, o enorme e avantajado totem deixou a maior parte do elenco masculino com inveja do pênis.

CENA 63 (CONTINUAÇÃO)

A aldeia é invadida pela tropa revolucionária, dando tiros para o alto, que rende rapidamente os índios.

TCHÊ
Ergue las manos e joguem los tacapes no solo e libertem la gostosa!

Os índios obedecem.

LUCY
(Libertando seus colegas)

Peraí... Aí.. essa barba, essa boina. Aí, broto, acho que tô te reconhecendo de algum lugar...

PEIXOTO
É o Raul Seixas!!! Bicho, tô querendo te conhecer há um tempão! Vem cá, tu já não roubou uma música minha, não?

WLADIMIR
(Interrompendo)

Peraí, companheiros! Esse não é o Raul Seixas! Esse é o grande comandante Che Guevara!!!

(Para o nosso Che)
Comandante, mas achei que o senhor tinha morrido. Eu vi em todos os jornais...

TCHÊ
Non. Jo no morri... Aquello foé tudo planejado, una grande jogada de *marketing* para incrementar las vendas de mis camissetas e mis posteres com la mia cara.

O nosso Che abre um dos clássicos pôsteres com a sua figura estampada. Todos olham o pôster admirados.

WLADIMIR
Mas, comandante, e a guerrilha?

TCHÊ
La guerrilla hoy é solamente un *hobby*, una atividad de fin de semana... Lo mercado de camissetas é mucho mais lucrativo, pero um dia volveremos a la guerilha, *ok*?

WLADIMIR

Comandante, sou seu maior fã. Eu fiz até uma tatuagem com a sua cara! Olha só!

Wladimir abaixa a calça, mas o público não vê.

CHE

É... La barba tá igualzinha, pero quem fuma charuto é o Fidel!

WLADIMIR

Peraí, comandante, o senhor está olhando para o lugar errado. A tatuagem é na coxa...

CHE

Ah, bueno....

CENA 64

EXT. FL. AMAZÔNICA / TRILHA MATA FECHADA – DIA

Mirandinha e Julieta, extenuados, caminham na floresta. Mirandinha consulta mapas e bússola e coça a cabeça, preocupado. Está, obviamente, perdido.

JULIETA

Ô Mirandinha, você sabe aonde nós estamos indo? Escuta aqui, lá no Exército você já fez algum curso de sobrevivência na selva?

MIRANDINHA

Ah, Julieta, eu já fiz 62 treinamentos de sobrevivência na selva...

JULIETA

Nossa! Não sabia que vocês treinavam tanto lá.

MIRANDINHA

Ah, não, é que eu fui reprovado 62 vezes!

Ele sorri cheio de si e dá uma forte estocada com seu facão. Com isso, abre uma clareira na passagem e avança sozinho. Faz-se um clarão e ele pára embasbacado...

... à sua frente, em vez de índios, vemos alguns vietnamitas que fogem assustados; atrás deles entra uma tropa de americanos liderada por um OFICIAL meio maluco, tipo Robert Duvall em *Apocalypse Now*, que despeja sua metralhadora nos vietnamitas.

OFICIAL
Fucking cong! I'm gonna fucking kill you, son of a bitch! Fuckingmotherfucker vietcongs!

CARACTERES: Tome isso, isso e mais isso, seu vietnamita bobo e cabeça de mamão.

Mirandinha se esconde na mata, protegendo sua amada.

JULIETA
Ué, nós estamos no Vietnã?

MIRANDINHA
Ai, querida... Acho que tenho que refazer uns cálculos. Passamos um pouquinho do local... Vamos ter que voltar.

Os dois voltam pela mesma trilha, Mirandinha olhando para trás, assustado.

CENA 65
EXT. ALDEIA DE ÍNDIOS – NOITE

Wladimir, Denílson, Peixoto, Lucy e o nosso Che estão sentados em volta de uma fogueira. Ao longo da conversa, em segundo plano, Denílson pega uma arma de cano comprido de um dos guerrilheiros do nosso Che, desmonta a arma, pega o cano, vê um pacote de pólvora e enche o cano de pólvora. Ninguém ali vê o que Denílson está fazendo, só o público.

CHE
Sin min la revolución non seria nada. Estávamos em Sierra Maestra, Fidel, Camilo Cienfuegos e jô.

PEIXOTO
Jô!? Quê que o Jô Soares tava fazendo em Cuba, bicho?

WLADIMIR
Deixa de ser burro, companheiro, jô é eu em espanhol.

PEIXOTO
Você também tava em Sierra Maestra, cara?

LUCY
Nossa, comandante, o senhor diz coisas incríveis. Mas me diz uma coisa, broto, todos os guerrilheiros são assim, charmosos como você?

Wladimir, enciumado com Lucy se jogando pra cima do nosso Che, a corta, ríspido.

WLADIMIR
Lucy, guerrilheiro não é charmoso. Guerrilheiros são homens feios, sujos, barbados, fedidos, suados...

LUCY
(Com tesão)

Ai, pára, Wladimir, você tá falando isso só pra me deixar excitada, né?

WLADIMIR
(Cortando a onda)

Ihhh... tô achando que é melhor a gente ir dormir pra deixar o comandante descansar.

CHE
(Sem tirar os olhos dos peitos de Lucy)

Buena idea, buena idea. Vamos todos a dormir. Hombres de um lado, mujeres notra maloca, *ok*? Para evitar problemas que prejudiquem la revolución, *ok*? Vamos a dormir...

WLADIMIR
(Para Lucy)

O que é que eu te falei, Lucy? O sexo entre os companheiros de luta só consome a energia que deverá ser usada na luta contra as forças opressivas da opressão.

Denílson acende o cano e o cigarro explode, deixando sua cara toda chamuscada.

DENÍLSON
Putzgrila! Esse fuzil é do bom, hein? Deve ser lá do Ceará!

CENA 66

EXT. ALDEIA DE ÍNDIOS – NOITE

Os grilos cantam junto com as cigarras e os sapos diante da lua cheia que ilumina parcialmente o sono da aldeia. Não há alma viva fora das malocas... exceto por nosso Che. Ele anda sorrateiramente, olhando para os lados, até entrar numa das malocas.

CENA 67

INT. ALDEIA DE ÍNDIOS / MALOCA – NOITE

Nosso Che entra na maloca onde Lucy está dormindo. Ele chega perto e toca seu braço. Ela abre os olhos. CHE abre a calça.

CHE
Franguita, franguita mira que hermoso!

LUCY
Ai, Che! Que vara!

CHE
Usted ainda não viu nada. Ainda hay que endurecer!

LUCY
Pero sem perder la ternura, né?

CHE
Vem cá, franguita, voy mostrar ahora para usted como se hace em Cuba!

LUCY
Ai, Che! Em Cuba não! Em Cuba dói muito!

Eles se beijam e começam a rolar na rede, arrancando as roupas. Começam a arfar e gemer alto. A câmera vai saindo do casal e passando pelas roupas jogadas no chão.

A câmera corrige rapidamente, voltando para o casal. Nesse momento entra Wladimir, com a arma em punho.

WLADIMIR
Eu proíbo essa cópula sensual! Vocês estão violando as regras revolucionárias do Comandante Che Guevara.

O nosso Che usa uma cueca com a bandeira americana, pula da cama, com as mãos para cima e com a boina tapando as partes, como se estivesse pendurada em algo ereto. Wladimir se surpreende.

CHE
Calma, camarada cuerno, usted non está entendiendo bien!

WLADIMIR
Che!

(Pausa)
Você me enganou! Você traiu os ideais revolucionários!! O que é isso, companheiro??!!!!

CHE
Ustedes, comunistas, são mucho chatos! No se puede nem dar uma trepadita em paz! Ora, se não fosse esse negócio de las camissetas, yo já tinha saltado fuera há mucho tiempo!

WLADIMIR
(Injuriado)

Desgraciado!

CHE
Calma, camarada cuerno! Calma, camarada cuerno!

Ele pula armado em cima do nosso Che. Os dois começam a rolar atracados no chão até saírem da maloca.

CENA 68
EXT. ALDEIA DE ÍNDIOS - AMANHECER

Mirandinha e Julieta ouvem um tiro entrando na aldeia.

JULIETA
Ai, meu Deus! Um tiro! Será que aconteceu alguma coisa com o meu Frederico Eugênio?

MIRANDINHA
Ah, se for a Lucy, a Dolores me mata!

Ela corre, junto com Mirandinha, em direção a Wladimir e nosso Che.

CENA 69
EXT. ALDEIA DE ÍNDIOS – AMANHECER

Wladimir sai de cima do nosso Che. Olha o corpo inerte e descobre, transtornado, que acabou de matar seu ídolo. Mirandinha e Julieta chegam e ela, emocionada, abraça o filho, que ainda está com a arma do crime na mão.

JULIETA
Você está bem, meu filho? Pode ficar sossegado que eu trouxe seu casaquinho...

(Mostra um casaco vermelho, com um bordado: *My baby*, e o desenho de uma foice e martelo)

WLADIMIR
Cacete! Matei o Che Guevara!

Logo em seguida, entram os guardas guerrilheiros, Denílson e Peixoto. Wladimir imediatamente coloca a arma na mão de Mirandinha.

GUERRILHEIRO 1
Que passa acá?

WLADIMIR
Esse representante da ditadura aliado ao imperialismo ianque norte-americano acaba de assassinar o grande líder Che Guevara!

MIRANDINHA
Eu?! Ô, Julieta, o seu filho tá maluco! Eu acabei de chegar agora...

GUERRILHEIROS
(Estupefatos)
Oooooh!

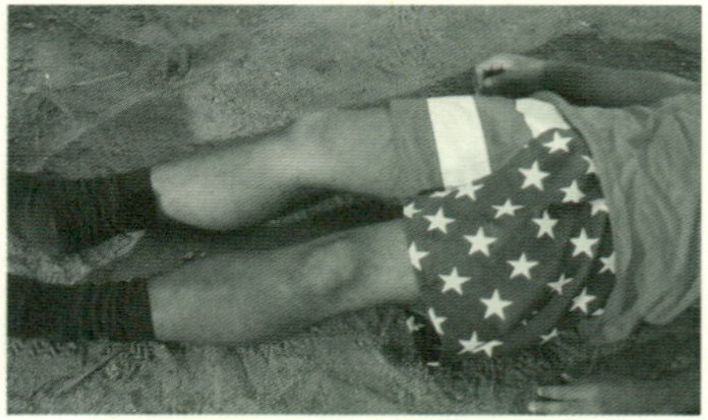

GUERRILHEIRO 1

Che está muerto! E ahora, o que bamos hacer?

Pausa dramática. Os guerrilheiros se entreolham. Todos em cena aguardam, tensos, a decisão do bando.

GUERRILHEIRO 2

Jo voy a la playa. Usted, non sei. Voy para Búzios pegar unas cachorras, né? Unas perras popozudas revolucionárias.

GUERRILHEIRO 1

Usted não tien consciência! Jo voy continuar en la batalha. Ahora com la secunda muerte del comandante, el negocio de camisseta va crescer una barbaridad...

GUERRILHEIRO 2

Es verdad. Jo me voy a la playa.

GUERRILHEIRO 1

Non, la plata.

Os guerrilheiros saem se dispersando e deixando nossos terroristas sozinhos.

CENA 70

EXT. ALDEIA DE ÍNDIOS – DIA

Lucy Ellen está trepada em cima de uma maloca.

LUCY (OFF)

Gente, gente, a taça tá aqui!

Todos olham para cima e vêem Lucy em cima do enorme totem, pegando a Taça Jules Rimet.

MIRANDINHA

(Feliz)

Lucy Ellen, minha filha,

(Tom)

mas você está aí em cima e sem calcinha...

Denílson e Peixoto se aproximam pra olhar de baixo.

DENÍLSON
Acho que o nosso movimento teve um racha...

PEIXOTO
E que racha!

CENA 71
EXT. ALDEIA DE ÍNDIOS – DIA

MANSO e DOLORES no topo de um veículo bélico, ambos com capacetes camuflados e binóculos militares. O veículo bélicò passa por cima de uma placa que está na entrada da aldeia com a inscrição: "Bem-vindo à aldeia dos papaxotas".

MANSO
Atenção, TERRORISTAS subversivos e silvícolas primitivos! Entreguem a Taça Jules Rimet e se suicidem, não necessariamente nesta ordem!

Os nossos TERRORISTAS, MIRANDINHA e JULIETA levantam as mãos, assustados com a chegada do MANSO.

PEIXOTO
Putzgrila, bicho! A gente vai morrer! A gente sifu!

DENÍLSON
E não necessariamente nessa ordem!

WLADIMIR
Não adianta, as forças da ditadura jamais vão colocar as mãos nesta taça!

PEIXOTO
(Desconfiado)

Tem certeza, bicho?

WLADIMIR
É claro! Olha lá! Os milicos estão afundando numa areia movediça feita em computação gráfica.

Câmera abre e revela que o veículo bélico está afundando em areia movediça feita em computação gráfica. O efeito é tosco, bem tabajara.

DOLORES
(Assustada)

Mas isso é horrível!

MANSO
É horrível mesmo! Podia ser muito mais bem-feito! Se fosse no cinema americano, era muito melhor!

DOLORES
Manso! Nós vamos morrer!

MANSO
Calma, meu amor! Sei muito bem como sobreviver em situações-limite! Vou pegar este cipó. Pule nas minhas costas e segure bem!

MANSO coloca DOLORES em seu cangote, pula e agarra um cipó. Ouvimos um grito lancinante.

A câmera corta e vemos Jonathan em cima de um galho, gritando de dor porque na verdade o "cipó" é o seu bilau, que é descomunal. Atenção: nós nunca vemos o fim do cipó, que seria a "cabeça" do bilau, tudo sempre com o maior bom gosto.

JONATHAN
Aiii!!! Cipó é o caceeettteeeee!!!!

MANSO percebe com nojo que estava pegando no bilau do índio e larga o cipó.

MANSO
Eca!

Os dois caem na areia movediça e começam a afundar.

DOLORES
Nós vamos morrer só porque você não foi homem suficiente para pegar no cipó do índio!

MANSO
Eu sou um general da forças armadas brasileiras! Nunca seguraria no bilau de um ser primitivo de uma raça inferior!

DOLORES
Inferior? Daquele tamanho! Manso, tu tá de sacanagem!

Os dois quase afundam na areia movediça. A bota do oficial americano da cena anterior pisa na cabeça de MANSO e, depois, na de DOLORES, afundando-os de vez. A câmera revela o americano, que está metralhando todo mundo.

OFICIAL
Fucking motherfucking brazilians! I'm gonna fuck you right in the ass, fucking son of a bitch!

LEGENDA: Tomem isso, isso e mais isso, seus brasileiros bobos e cabeça de mamão!

Os americanos saem da cena. A câmera dá um *travelling* e vemos todos os personagens do filme baleados e mortos no chão. Música triste. Vêm descendo de cima as letras FIM, dando a impressão de que o filme vai acabar.

Depois de um certo tempo, os atores desarmam e começam a falar entre si.

HUBERT
(Para HELIO)

Ué, acabou?

HELIO
Vai acabar assim? Mas esse filme não é comédia?

CLAUDIO
Com certeza! Fala sério!

MARIA PAULA
(Se levantando e empurrando o letreiro FIM para fora da tela)

Gente! Não precisa acabar assim! Vocês são os autores desse filme! Vocês podem inventar qualquer coisa!

TODOS OS CASSETAS
É mesmo...

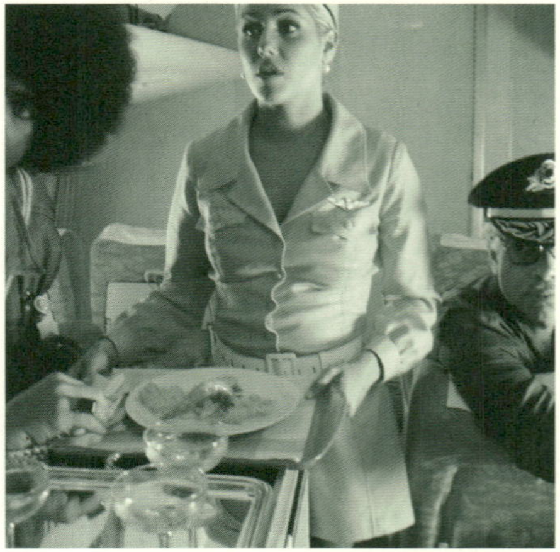

CENA 72
INT. AVIÃO I - DIA

Todos os quatro terroristas, mais Mirandinha e Julieta, estão num mesmo avião. Mirandinha e Julieta abraçadinhos, bem como Wladimir e Lucy. Todos estão tomando champanhe. Clima de festa e alegria.

Denílson olha com ar de doidão Peixoto colar a orelha da taça com fita crepe. O clima é de paz e final feliz.

PEIXOTO
Pô, que final feliz manero! Estamos na primeira classe!

Chega uma aeromoça maravilhosa (uma modelo ou atriz famosa). Ela vem com o carrinho de comida e oferece um prato com camarões enormes para DENÍLSON.

AEROMOÇA
Aceita um camarão?

DENÍLSON
Caraca! Olha o tamanho do camarão! É do Ceará?

MIRANDINHA
Lucy Ellen, minha filha, agora que tudo acabou bem, você vai ter que prometer que nunca mais vai sair sem calcinha!

WLADIMIR
(Machão)

Pode deixar, general... que dela eu tomo conta.

(Ele tira uma calcinha do bolso e entrega para Lucy)

Lucy, faz o que o teu pai tá mandando, vai lá dentro e bota isso!

LUCY
(Pegando a calcinha, apaixonada)

Nossa, Wladimir, como você é romântico! Sabe que essa é a primeira vez que um homem me pede pra botar a calcinha...

Os dois se olham apaixonados e dão um beijo cinematográfico.

A CÂMERA SEGUE e vemos Mirandinha e Julieta num beijo de esquimó cinematográfico.

CENA 73
INT. AVIÃO I / TAÇAS - DIA

A CÂMERA BAIXA até chegar na Taça Jules Rimet, no chão do avião, à frente de uma cadeira.

Nesse momento, o avião dá um solavanco e a taça rola para o lado até bater numa outra estatueta, também dourada: é o Oscar! Ambas encostam suas bocas e ficam em posição de quem está beijando...

CENA 74
INT. AVIÃO I - DIA

A CÂMERA SOBE e vemos que o dono da estatueta é nosso WOODY ALLEN *cover*, um sósia perfeito do WOODY ALLEN que está sentado ao lado de uma indiazinha jovem.

WOODY
(Com a voz de seu dublador brasileiro)

A gente não pode casar agora, você só tem 13 anos. Eu sou o Woody Allen *cover*, a gente vai ter que esperar um pouco.

O avião então começa a balançar freneticamente. A turbulência é enorme, caem coisas, pânico total.

AEROMOÇA
(*Blasé*, pega o microfone e fala para os passageiros)

Atenção, senhores passageiros... Nós acabamos de perder todos os nossos motores e vamos ter que fazer um pouso forçado no mar... Nossas chances são realmente mínimas. Favor colocar as carteiras de identidade dentro do bolso para facilitar a identificação dos corpos. Obrigada por escolher nossa companhia, e qualquer dúvida contate o nosso pessoal em terra, quer dizer, o nosso pessoal te enterra! Rá, rá, rá! Sacaneei!

A histeria e o pânico dominam a todos... até que... BUM!!! Avião cai.

CENA 75
EXT. FLORESTA - DIA

Destroços de avião fumegantes. Um por um, nossos heróis vão saindo da carcaça, exaustos.

DENÍLSON
Pô, aí... Aquele camarão do Ceará deu a maior onda aí... Pô, tô viajando que o avião caiu no meio da floresta! Issa, alucinante, bicho.

LUCY
(Abraçando Wladimir)

Ah, Wladimir, ainda bem que você está vivo, meu amor... Você tá bem?

JULIETA
Tá bem nada. Tá todo rasgado. Ô Wladimir, assim você vai acabar pegando uma gripe... Bota o casaquinho, meu filho.

Ela bota o casaquinho vermelho em cima do filho.

MIRANDINHA
E a taça? Cadê a taça? Nós perdemos a taça...

PEIXOTO
Calma, general... Tá barra limpa. No meio daquela confusão eu ainda consegui pegar a taça e coloquei ela aqui, nessa bolsa.

Peixoto mete a mão dentro da mochila, futuca lá dentro e tira de lá... o Oscar!

DENÍLSON
Pô, aí, maior barato! O filme ainda nem acabou e nós já ganhamos o Oscar!!!

FIM

CENA 76
INT. AUDITÓRIO DEBATE - NOITE

Enquanto rolam os créditos, a tela fica vazia. Uns funcionários trazem uma mesa grande, depois colocam sete microfones e copos d'água. Os sete cassetas voltam de cara limpa e ocupam os lugares.

C&P
Gente, não vai embora ainda não que o filme é sobre a década de aquele tempo sempre tinha debate depois do filme.

C&P
E aí, alguém tem alguma pergunta?

C&P (CONT'D)
Gente, pode perguntar qualquer coisa, gente... Tem alguém ali que tem uma pergunta!

Todos se animam. Vemos a sombra da cabeça e braço do ESPECTADOR na tela.

ESPECTADOR 1
Eu tenho uma pergunta. Onde é que é o banheiro, hein?

C&P
Na boa, pessoal. Alguém tem uma pergunta sobre o filme?

ESPECTADOR 1
Sobre o filme? Eu tenho. Se eu quiser assistir à próxima sessão, é de graça?

C&P
Gente, isso é sério. Nós levamos um tempão pra fazer esse filme...

C&P (CONT'D)
Alguém tem alguma pergunta?

ESPECTADORA 1
Ô, eu tenho. É que tem um erro nesse filme. Sabe naquela hora que os terroristas estão fugindo e encontram aquele bêbado? Ali passa um carro supermoderno que ainda não tinha naquela época, não.

C&P
É, realmente você tem razão. Naquela época não existia um carro tão moderno e sofisticado como o Polo Sedan. Mas o *merchandising* da Volkswagen já existia...

CRÍTICO

Eh, hã... amigo... eu sou crítico de cinema e de São Paulo. E aí... hã... achei as explosões desse filme muito falsas.

Crítico explode.

C&P

E essa agora, ficou legal? Outra pergunta.

ESPECTADORA

Eu não tenho nenhuma pergunta não. Mas é que eu sou fã de vocês. Será que dava pra vocês tirarem uma foto comigo?

C&P

Tudo bem, sobe aí.

ESPECTADORA

Ai! Jura?!

A ESPECTADORA sobe e posa para foto com os sete.

ESPECTADORA

Ai! Alguém passou a mão na minha bunda!

C&P

E qual é o problema? Tu não é fã, pô?

ESPECTADORA

Eu sou fã, mas não pode passar a mão na minha bunda assim, né!

C&P

Que merda de fã é essa que não se pode nem passar a mão na bunda... Fala sério, aí!

EFEITO FLASH *DA FOTO.*

FIM

BENVINDOS À
ALDEIA
PAPA XOTA

MARCELO – Algo extraordinário no filme é mostrar um Che Guevara escroto! Sou contra esses endeusamentos, esses cultos a personalidades, esse ranço stalinista que permeia nossa juventude.

– VOCÊ NÃO TEME SER ALVO DE PATRULHAS IDEOLÓGICAS?

MARCELO – Quero que a patrulha ideológica me pare, peça meus documentos, me reviste e me leve em cana!

REINALDO – As cenas do Che vão causar sensação porque ele foi transformado num argentino meio vigarista.

CLAUDIO – Transformado não, ele sempre foi argentino! Todo mundo pensa nele como cubano, mas ele nasceu na Argentina!

REINALDO – Se tivesse sobrevivido, hoje estaria em Búzios, vendendo artesanato.

CLAUDIO – Che é o mito que virou camiseta. Hoje tem biquíni com Che Guevara no rabo! Che é meio Mickey!

HELIO – Vocês podem conferir no filme que Denílson não fuma nada que seja ilícito. Fuma sanduíche, barata, bolsa, e nada disso é proibido... Pra fazer as cenas tive que fumar cigarro e prender a fumaça pra expelir. Cada *take* era um maço. Quando acabaram as filmagens, fui tirar uma chapa do pulmão, mas vi que tava tudo em cima.

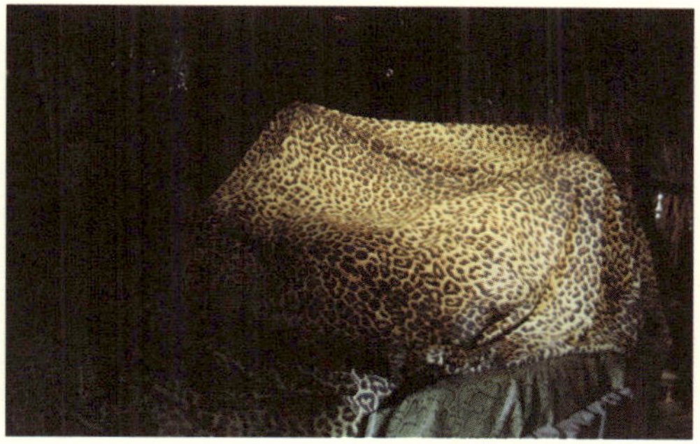

BETO – Fiquei preocupado na cena do ataque à aldeia indígena, onde estou descendo uma ladeira dentro de um tanque. Não era eu que estava dirigindo o tanque – estou no alto, comandando a tropa. Tinha uma outra pessoa dirigindo, mas eu não sabia se aquela pessoa entendia de tanque ou não. E começamos a descer embalados a ladeira! O tanque todo sacudia, fazia um calor imenso!

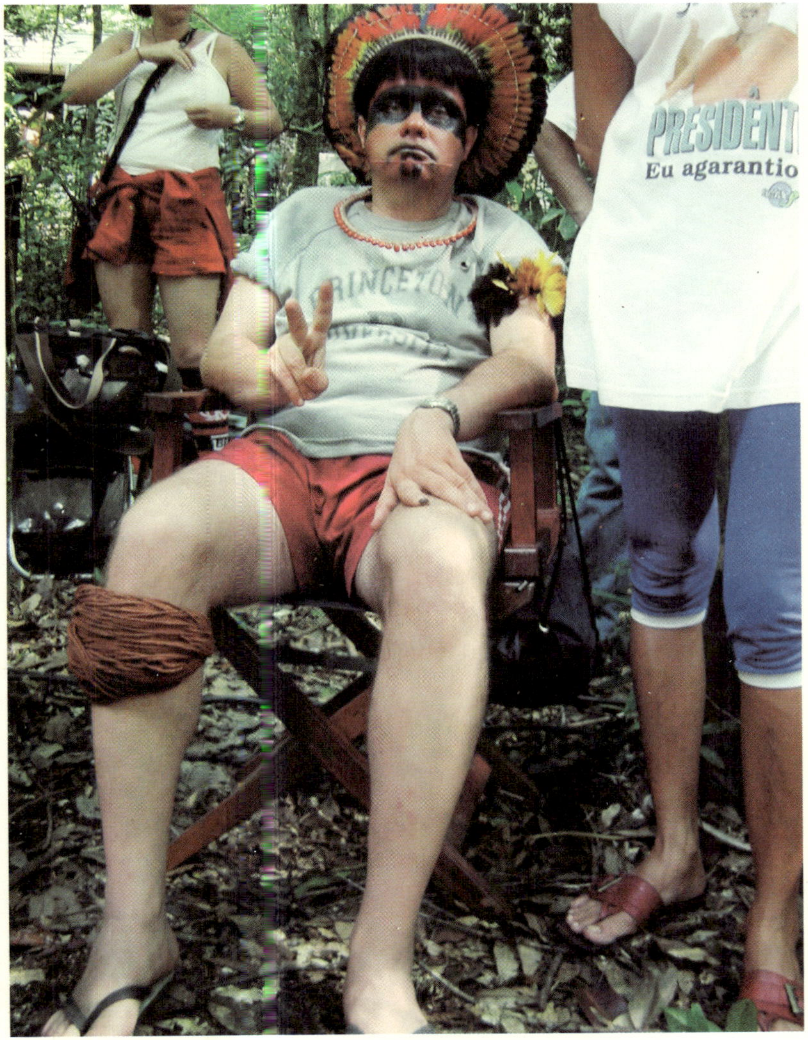

MARCELO – O índio Jonathan é um *scholar*, e fiz questão de que ele vestisse uma camiseta de Princeton.

– NÃO DÁ PRA VER A CAMISETA, TODAS AS ATENÇÕES VÃO PARA SUA JEBA GIGANTE.

MARCELO – Jeba protuberante e nababesca. Uma verga adamastoriana.

– VOCÊ USOU DUBLÊ DE CORPO?

MARCELO – Usei meu pau particular. Não tem efeito especial.

MARIA PAULA – A cena do totem foi complicada. Tive que me dependurar naquele membro gigantesco. Era um momento apoteótico pra qualquer mulher animada como eu! O problema era estar de minissaia, sem calcinha, e todo aquele pessoal lá embaixo...

HELIO – Foi uma das cenas preferidas de todo o elenco.

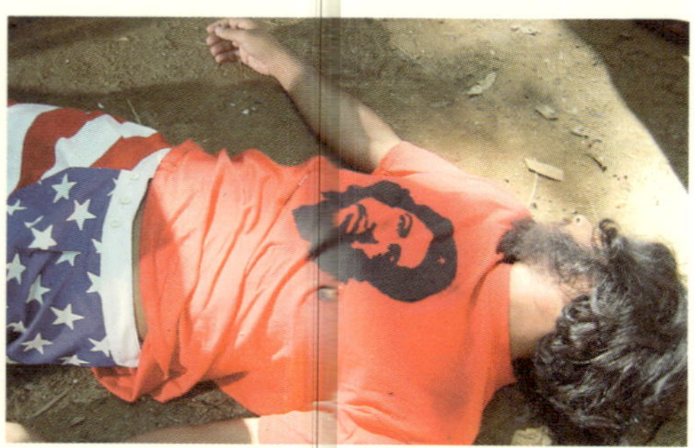

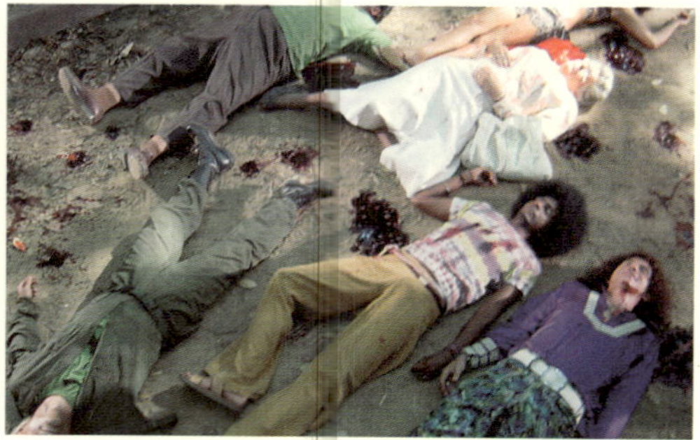

avião / final feliz

cenas 72 a 74

– NO BEIJO DO AVIÃO ROLOU LINGUÃO, NÉ?

MARIA PAULA – Ah, genteee! Vocês querem mesmo falar sobre isso? É que as lembranças me trazem memórias carregadas de emoções... é difícil lembrar disso.

BUSSUNDA – Cara, foi emocionante! No mesmo dia, a Deborah Secco foi gravar de aeromoça. Então falei com ela: "Pô, é a primeira vez que vou dar um beijo em cena. Como é esse negócio de beijo técnico?" E ela: "Isso não existe não. É linguão mesmo!" Essa foi a minha preparação.

queda do avião

cena 76

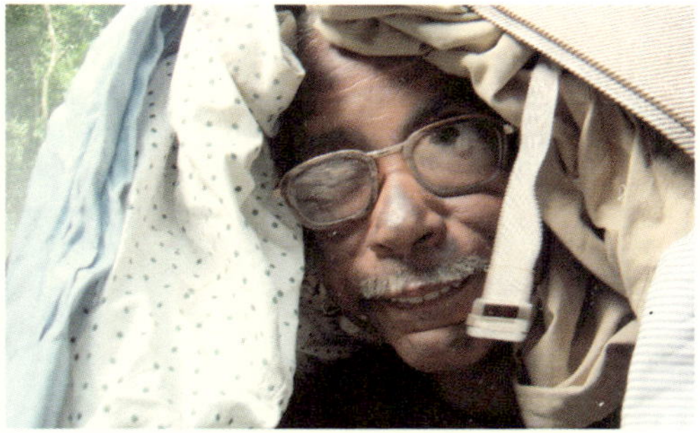

Apesar da queda, nosso avião continua com tudo em cima.

debate
cena 76

– FOI BOM PRA VOCÊ?

BUSSUNDA – Fomos mordidos pelo vírus do cinema. A televisão te dá a capacidade de atingir o país inteiro com atualidades. O cinema te dá a coisa artesanal de poder passar dois anos só mexendo no roteiro. Antes de filmar, você pode discutir o cenário, o figurino... Gostei dessa parada de cinema! *A Taça do Mundo é Nossa* é o melhor trabalho que fizemos até hoje.

BETO – Todo mundo reclamou que a coisa mais chata de fazer cinema é a espera. Você espera pra caralho, mas na hora de filmar, tudo vale a pena. É uma sensação incrível. As pessoas passam tanto tempo juntas que vira uma espécie de família. Claro, como toda família, tem hora que você não agüenta ver a cara do outro. Mas eu gostei da experiência.

MARCELO – A experiência foi muito intensa, porque não me limitei a interpretar os personagens e escrever o roteiro com a grande maestria e todo o talento que me são peculiares. Acompanhei todos os aspectos no *set*: como se trabalha o som, a iluminação, a fotografia, a direção... O cinema é como uma trupe de circo. Tem desde peão de obra até eu, que sou um ser superior.

HUBERT – Independentemente de bilheteria, pra nós o filme já foi um sucesso. O processo foi longo, nunca tínhamos feito roteiro de filme. Nesses cinco anos aprendemos isso. Demos um passo adiante na carreira. Foi um desafio que deixou gosto de quero-mais.

– PRONTA PRA OUTRA?

MARIA PAULA – Claro! Uh-ru! Mais que nunca!

– *VEM AÍ* A TAÇA DO MUNDO É NOSSA II – A MISSÃO?

HELIO – Com esse título escroto, eu duvido. Mas, filme de Casseta & Planeta, pode reservar a pipoca porque vem aí o dois, o três, o quatro...

Resposta do jogo dos tricampeões: 2-Gerson / 4 - Zagalo / 5-Piazza / 7-Joel / 8-Tostão / 9-Edu / 10-Rivelino / 11-Edu / 12-Jules Rimet

galera

DIREÇÃO
MICHAEL SCHUMACHER

ATRIZ CONVIDADA
JULIA ROBERTS (NÃO TOPOU)

OUTRA ATRIZ CONVIDADA
DEBORAH SECCO (SÓ TOPOU FILMAR)

CONTINUÍSTA
LUÍS INÁCIO DA SILVA

CABO MAN
TRIPÉ

TALO MAN
PÉ DE MESA

OPERADOR DE SEIO
IVO PITANGUY

OPERADOR DE BOQUETE
MÔNICA LEWINSKI

CONTRA-REGRA
ABSORVENTE SEMPRE XECA

EFEITOS ESPECIAIS
O. BIN LADEN

CABELO, FIGURINO E MAQUIAGEM
OFICINA DE BOIOLAS LTDA.

REPRODUTOR ASSOCIADO
BOI BARROSO

FIGURANTES QUE TÊM JOGO
DANIELA, REBECA, CARLA E JORJÃO (JORJÃO?!)

FIGURANTES QUE NÃO TÊM JOGO
SILVIA, MARIANA, REBECA E SILVANETE

VERSÃO BRASILEIRA
HUBERT RICHARDS

DIREÇÃO: Lula Buarque de Hollanda
CASSETA & PLANETA: Beto Silva, Bussunda, Cláudio Manoel, Helio de La Peña, Hubert, Marcelo Madureira e Reinaldo.
ATRIZ CONVIDADA: Maria Paula
PRODUTORES: Manfredo Garmatter Barreto, Leonardo Monteiro de Barros, Lula Buarque de Hollanda
PRODUTOR ASSOCIADO: Breno Silveira
PARTICIPAÇÕES ESPECIAIS: Deborah Secco, Tony Tornado, Carlos Alberto Torres e Jairzinho
PRODUÇÃO EXECUTIVA: Rômulo Marinho
CO-PRODUTOR: Quanta
DIREÇÃO DE FOTOGRAFIA: Adriano Goldman
DIREÇÃO DE ARTE: Gualter Pupo Filho
MONTAGEM: Sergio Mekler
CARACTERIZAÇÃO/ MAQUIAGEM: Rose Aragão
FIGURINOS: Cláudia Kopke
SUPERVISÃO DE EFEITOS VISUAIS: Fabio Soares
TRILHA SONORA: Tom Capone, Lula Buarque de Hollanda e Casseta & Planeta
MÚSICA INCIDENTAL: André Moraes
SOM DIRETO: Jorge Saldanha
SUPERVISÃO DE EDIÇÃO DE SOM: Miriam Biderman (A.B.C)
MIXAGEM: Armando Torres
CÂMERA: Gustavo Hadba
1ª ASSISTENTE DE DIREÇÃO: Tatiana de Lamare
COLORISTA: Sergio Pasqualino

ELENCO
BETO SILVA: General Manso; churrasqueiro chefe; corretor; bombeiro; guerrilheiro cubano 1; jogador 1 do time dos Políticos Torturados
BUSSUNDA: estudante Wladimir; Gal. Costa
CLAUDIO MANOEL: Gal. Mirandinha; Clone Che Guevara; Repórter; Soldado do Museu; jogador 2 do time dos Políticos Torturados
HELIO DE LA PEÑA: Denílson; Atendente SIN; jogador 3 do time dos Políticos Torturados; clone Pelé
HUBERT: Peixoto Carlos; clone Gabeira; clone Roberto Carlos; soldado, Jogador 4 do time dos Políticos Torturados
MARCELO MADUREIRA: Dolores; índio Jonathan; guarda; clone Cid Moreira; general 1; guerrilheiro cubano; jogador 5 do time dos Políticos Torturados
REINALDO: Julieta; bombeiro; garçom dedo; general 2; jogador 6 do time dos Políticos Torturados; clone Woody Allen; bêbado; vaqueiro; piloto de avião.
MARIA PAULA: Lucy Ellen; adolescente (fã debate)
DEBORAH SECCO: aeromoça
TONY TORNADO: comandante da blitz
CARLOS ALBERTO TORRES: o próprio
JAIRZINHO: o próprio

EQUIPE TÉCNICA
2os ASSISTENTES DE DIREÇÃO: Esperança Motta, Eduardo Hunter
ESTAGIÁRIA DE DIREÇÃO: Janaína Ferreira
CONTINUÍSTA: Fernanda Luz
COLABORAÇÃO DE ROTEIRO: Marcos Bernstein e Lula Buarque de Hollanda
DIRETOR DE PRODUÇÃO: Guto Vaz
PRODUTORA DE FRENTE: Claudia Neves
DIRETOR DE PLATÔ: Edu Ramos
1as ASSISTENTES DE PRODUÇÃO: Mônica Cevidanes, Roberta Gonçalves, Mariana Cassa, Samanta Moraes.
2ª ASSISTENTE DE PRODUÇÃO: Isabel Graça
ASSISTENTE DE PLATÔ: Roberto Bellezia
ESTAGIÁRIA DE PRODUÇÃO: Juliana Alves
FOTOGRAFIA ADICIONAL: Paulo Jacinto dos Reis
1º ASSISTENTE DE CÂMERA: Márcio Menezes
2os ASSISTENTES DE CÂMERA: Cindy May, Roberto Thomé
1ª ASSISTENTE DE CÂMERA EXTRA: Vicka Nabuco
2ª ASSISTENTE DE CÂMERA EXTRA: Julia Eki
STILL: Vantoen Pereira Júnior
VÍDEO ASSIST: Marcio Rodrigo Dantas da Silva
ESTAGIÁRIOS DE CÂMERA: Bruno Beauchamps, Henrique Lima
CENÓGRAFO: Luiz Henrique
PRODUTORES DE OBJETOS: Zé Luca, Luiz Costa
ASSISTENTE DE CENOGRAFIA: Gabriela Estrela
ESTAGIÁRIOS DE ARTE: Marianna Dutra, Allan Rabelo
CONTRA-REGRAS: Wagner Tavares, Nilson Laport
CENOTÉCNICO DE LOCAÇÃO: Gilson Curvelo
CENOTÉCNICOS: Hélio Bentes, Paulo Wagner
PRODUÇÃO GRÁFICA: Thalita Wolf, Bruno de Laurentis
PROJETISTA: Patrícia Costa
PRODUTORA DE ELENCO: Rosa Fernandes
ASSISTENTE DE ELENCO: Daniela Pereira
ASSISTENTES DE FIGURINO: Rô Nascimento, Gabriela Mourato
CAMAREIROS: Fernando Jesus, Wagner dos Santos da Silva, Jorge Ferreira
ESTAGIÁRIA DE FIGURINO: Ana Avelar
MAQUIAGEM CASSETA & PLANETA: Rose Aragão
MAQUIAGEM MARIA PAULA: Helena de Araújo
ASSISTENTES DE MAQUIAGEM: Neuma Caldas, Jaldete Garcia (Jal), Gutemberg Santos, Valéria Toth
CABELEIREIRAS: Maria de Lourdes, Márcia Valéria, Catarina Batista
EFEITISTAS: Farfan FFX, Sergio Farjalla
ASSISTENTES DE EFEITOS ESPECIAIS: Roberto da Costa, Glauco Falci
1º MICROFONISTA: Ian Saldanha
2º MICROFONISTA: Evandro Lima
ELETRICISTA: Marcelinho
ASSISTENTES DE ELÉTRICA: Miquéias, Joel Júnior, Hilton Alves – B.B
AJUDANTE DE ELÉTRICA: Paulo Antonio da Silva
ESTAGIÁRIO DE ELÉTRICA: Luiz Henrique – Gafanhoto
ASSISTENTES DE ELÉTRICA EXTRA: Fábio Conceição, Luiz Gonzaga dos Santos Filho, João Carlos do Nascimento
MAQUINISTA: Carlinhos
MAQUINISTA ASSISTENTES DE MAQUINARIA: Bugalu, João Gurgel
BOYS DE SET: Alex Moura, André Souza, Itamar Alves
BOYS DE ESCRITÓRIO: Gutemberg Santos, Robson Nascimento
PESQUISA DE IMAGENS: Antonio Venâncio, Emilio Domingos, Priscila Botto
STORYBOARD: Allan Rabelo
MAKING OF: Fabito Rychter
PÓS-PRODUÇÃO
COORDENAÇÃO DE PÓS-PRODUÇÃO: Veruschka Bäuerle
ASSISTENTE DE FINALIZAÇÃO: Priscila Botto
ASSISTENTE DE MONTAGEM: Dunia Quiroga
DESIGN DA ABERTURA: Liana Brazil, Gualter Pupo Filho
DESIGN LOGOMARCA: Nu-des, Gualter Pupo Filho
ILUSTRAÇÃO: Key-Art, Benicio
ARTISTAS 3D: Gustavo Braga, Ary Monteiro, Bernardo Maia, Diego Velasco- De Armas, Fernanda Araújo, Sérgio Yamasaki
ASSISTÊNCIA DE SUPERVISÃO DE EFEITOS VISUAIS: Guilherme Mendes.
DUBLADORES: Elcio Romar Fernandes (Woody Allen); Ciro Jatene (cinejornal); Louis Chilson (general americano).
DUBLAGEM ADICIONAL: Mariana Miranda, Cristina Rocha, Silvania Barbosa, Fernando Miranda, Milton Costa, Haroldo Oliveira, Flavio Rocha, Gabriel Heleno, Rapha Z.

www.atacadomundoenossa.com.br

Produtores do filme:

Quanta

Patrocinadores do filme:

PETROBRAS BNDES AXE

Todos os esforços foram envidados no sentido de identificar as pessoas que aparecem nas fotos deste livro. Se, porventura, ocorrer alguma omissão quanto a créditos, os direitos encontram-se reservados aos seus titulares.

Agradecimentos especiais para Daniela Pupo e Marianna Medeiros.

Impressão e Acabamento
GEOGRÁFICA
editora